DANY LAFERRIÈRE

de l'Académie française

Tout bouge autour de moi

GRASSET

ISBN : 978-2-253-16203-2 – 1re publication LGF

TOUT BOUGE AUTOUR DE MOI

Né à Haïti en 1953 et vivant à Montréal depuis plus de trente-cinq ans, Dany Laferrière est l'auteur de romans salués par la critique : *Vers le sud* (2006), *Je suis un écrivain japonais* (2008), *L'Énigme du retour* (prix Médicis 2009), *Tout bouge autour de moi* (2011). Traduit dans une quinzaine de langues, Dany Laferrière pose d'une manière toute personnelle la question de l'identité et de l'exil. Il a adapté lui-même plusieurs de ses romans au cinéma. En 2013, il a été élu membre de l'Académie française.

Paru dans Le Livre de Poche :

CHRONIQUE DE LA DÉRIVE DOUCE

L'ÉNIGME DU RETOUR

JE SUIS UN ÉCRIVAIN JAPONAIS

JOURNAL D'UN ÉCRIVAIN EN PYJAMA

VERS LE SUD

Au petit groupe de l'hôtel Karibe qui a affronté
avec moi la colère des dieux :
Michel Le Bris, Maëtte Chantrel, Mélani Le Bris,
Isabelle Paris, Agathe du Bouäys,
Rodney Saint-Eloi et Thomas Spear.

Devant la mort
Il ne devrait y avoir ni joie ni tristesse
Seulement un long regard étonné.

Renaud LONGCHAMPS.

La minute

Me voilà au restaurant de l'hôtel Karibe avec mon ami Rodney Saint-Eloi, éditeur de Mémoire d'encrier, qui vient d'arriver de Montréal. Au pied de la table, deux grosses valises remplies de ses dernières parutions. J'attendais cette langouste (sur la carte, c'était écrit homard) et Saint-Eloi, un poisson gros sel. J'avais déjà entamé le pain quand j'ai entendu une terrible explosion. Au début j'ai cru percevoir le bruit d'une mitrailleuse (certains diront un train), juste dans mon dos. En voyant passer les cuisiniers en trombe, j'ai pensé qu'une chaudière venait d'exploser. Tout cela a duré moins d'une minute. On a eu huit à dix secondes pour prendre une décision. Quitter l'endroit ou rester. Très rares sont ceux qui ont fait un bon départ. Même les plus vifs ont perdu trois ou quatre précieuses secondes avant de comprendre ce qui se passait. Moi, j'étais dans le restaurant de l'hôtel avec des amis, l'éditeur Rodney Saint-Eloi et le critique Thomas

Spear. Spear a perdu trois précieuses secondes parce qu'il voulait terminer sa bière. On ne réagit pas tous de la même manière. De toute façon, personne ne peut prévoir où la mort l'attend. On s'est tous les trois retrouvés à plat ventre, au centre de la cour. Sous les arbres. La terre s'est mise à onduler comme une feuille de papier que le vent emporte. Bruits sourds des immeubles en train de s'agenouiller. Ils n'explosent pas. Ils implosent, emprisonnant les gens dans leur ventre. Soudain, on voit s'élever dans le ciel d'après-midi un nuage de poussière. Comme si un dynamiteur professionnel avait reçu la commande expresse de détruire une ville entière sans encombrer les rues afin que les grues puissent circuler.

Déjà la vie

La vie semblait reprendre son cours après des décennies de turbulence. Des jeunes filles rieuses se promenaient dans les rues, tard le soir. Les peintres primitifs bavardaient avec les marchandes de mangues et d'avocats au coin des rues poussiéreuses. Le banditisme semblait reculer d'un pas. Dans les quartiers populaires, comme le Bel-Air, le crime n'était plus toléré par une population exténuée qui a tout connu durant ce dernier demi-siècle : les dictatures héréditaires, les coups d'Etat militaires, les cyclones à répétition, les inondations dévastatrices et les kidnappings à l'aveuglette. J'arrivais pour ce festival littéraire qui devait réunir à Port-au-Prince des écrivains venant d'un peu partout dans le monde. Cela s'annonçait excitant car, pour la première fois, la littérature semblait supplanter le discours politique dans la faveur populaire. Les écrivains étaient invités à la télévision plus souvent que les députés, ce qui est assez rare dans ce pays à fort tempérament politique. La littérature reprenait ici sa place. Déjà en 1929, Paul Morand notait dans son vif essai *Hiver caraïbe* que tout finissait en Haïti par un recueil de poèmes. Plus tard, Malraux parlera, lors de son dernier voyage à Port-au-Prince en 1975, d'un peuple qui peint. On cherche encore la raison d'une pareille concentration d'artistes sur un espace aussi restreint. Haïti n'occupe que la moitié d'une île, qu'elle partage avec la République dominicaine, dans la mer des Caraïbes.

Le silence

En voyage, je garde toujours deux choses sur moi : mon passeport (dans une pochette accrochée à mon cou) et un calepin noir où je note tout ce qui traverse mon champ de vision ou qui me passe par l'esprit. Alors que j'étais par terre, je pensais aux films catastrophe, me demandant si la terre allait s'ouvrir et nous engloutir tous. C'était la terreur de mon enfance. On s'est réfugiés sur le terrain de tennis de l'hôtel. Je m'attendais à entendre des cris, des hurlements. Rien. On dit en Haïti que tant qu'on n'a pas hurlé, il n'y a pas de mort. Quelqu'un a crié que ce n'était pas prudent de rester sous les arbres. En fait, c'était faux, car pas une branche, pas une fleur n'a bougé malgré les quarante-trois secousses sismiques de cette première nuit. J'entends encore ce silence.

Les projectiles

Une secousse de magnitude 7.3 n'est pas si terrible. On peut encore courir. C'est le béton qui a tué. Les gens ont fait une orgie de béton ces cinquante dernières années. De petites forteresses. Les maisons en bois et en tôle, plus souples, ont résisté. Dans les chambres d'hôtel souvent exiguës, l'ennemi c'est le téléviseur. On se met toujours en face de lui. Il a foncé droit sur nous. Beaucoup de gens l'ont reçu sur la tête.

L'échelle

On se relève lentement, comme des zombis dans un film de série B. Des cris dans la cour de l'hôtel. Les bâtiments au fond à droite se sont effondrés. Ce sont des appartements loués sur une base annuelle à des familles étrangères, pour la plupart françaises. Deux jeunes adolescentes s'affolent sur le balcon du deuxième étage. Très rapidement des gens cherchent à leur porter secours. Ils sont trois au pied de l'immeuble. Deux tiennent une échelle. Le jeune homme si vif qui a eu la présence d'esprit d'aller chercher l'échelle dans le jardin grimpe là-haut. La plus âgée des filles parvient à enjamber le parapet. Elle arrive par terre. On l'entoure. Le jeune homme remonte chercher la cadette qui refuse de quitter l'endroit. Elle exige qu'on attende sa mère. On ignorait alors qu'il y avait une troisième personne là-haut. Les sauveteurs travaillent en silence et en sueur. Il faut agir vite, car l'immeuble, qui tient à peine sur ses jambes, pourrait s'écrouler à la moindre vibration. L'adolescente hurle que sa mère est à l'intérieur. Celle-ci, en cherchant une sortie par l'escalier, s'est enfermée quelque part. L'adolescente montre du doigt, en pleurant, l'endroit où se trouve coincée sa mère. Debout dans le jardin de l'hôtel, on a tous les yeux rivés sur cette adolescente qui croit que, si elle descend, on oubliera sa mère. Il y a une grande fébrilité dans l'air, car la terre vient de bouger. La mère finit par se libérer en cassant une vitre. Elle se précipite vers sa fille qui refuse toujours de descendre avant elle. Ce n'est qu'une fois sa mère en bas qu'elle a accepté l'échelle.

Une petite fête

Une femme se promène avec un bébé en pleurs. Je le prends dans mes bras pour le bercer. Il me dévore de ses yeux noirs de souris effrayée. Une attention si soutenue qu'elle finit par m'intimider. La femme raconte qu'elle est sa nourrice. Ses parents sont au travail. Elle venait de lui donner son bain quand la pièce s'est mise à tanguer. Elle n'arrêtait pas de se cogner partout, sans toutefois lâcher le bébé. Elle tente de quitter l'immeuble par l'escalier. Bloqué. Elle revient dans la chambre et parvient alors à poser le bébé en équilibre sur le chambranle de la fenêtre avant de se laisser glisser jusqu'au balcon de l'étage inférieur. Après elle grimpe sur une chaise pour reprendre le nourrisson qui, étonnamment, n'avait pas bougé, comme s'il comprenait la gravité de la situation. Dès qu'elle l'a eu de nouveau dans les bras, il s'est mis à hurler, comme si on l'écorchait vif, pendant deux heures. Puis ses parents sont arrivés en trombe. J'ose à peine imaginer leur angoisse durant le trajet. Ils ont laissé la voiture, portières ouvertes, au milieu de la rue. La nourrice leur a rendu le bébé et ils ont dansé, avec cette joie sauvage, en le tenant serré contre eux. Une nouvelle secousse a rompu la petite fête.

Les employés de l'hôtel

Toujours impeccables dans leurs uniformes, les employés de l'hôtel n'ont jamais perdu leur sang-froid. S'il y a eu un léger cafouillis au début, cela venait plutôt du côté des clients qui couraient dans toutes les directions. Il fallait aller chercher certains qui n'arrivaient pas à quitter leur chambre. On les trouvait en train de tourner en rond ou assis sur le lit, le regard hébété. J'observe depuis un moment les employés se démener pour assurer le service. C'est peut-être le fait d'avoir une fonction à remplir qui leur permet de marcher droit alors que les clients titubent. Dès qu'on a faim, ils arrivent, en file indienne, avec les petits-fours qu'ils alignent sur une grande table. On attendait une réception dans la grande salle de congrès, près du restaurant. La nourriture était déjà prête. Nous en bénéficions maintenant. Près de l'étroite barrière qui permet d'entrer sur le terrain de tennis où nous nous sommes réfugiés depuis un moment, se tiennent les gardiens de sécurité. Ils s'efforcent de rassurer les clients. Je dis clients plutôt que touristes, car ces derniers sont rares en Haïti. On n'y trouve que des membres des nombreuses ONG qui pullulent dans le pays depuis quelques décennies, des correspondants de presse basanés qui n'arrivent pas à quitter l'île, des hommes d'affaires étrangers discutant à voix basse au petit-déjeuner avec des hommes politiques haïtiens déjà en sueur. On voit passer, dans le jardin, le propriétaire de l'hôtel qui fait sa tournée d'inspection. D'un pas lent, le visage soucieux, il semble perdu dans ses pensées. Je donnerais cher pour savoir ce qui se passe dans sa tête en ce moment. Les dégâts ne sont pas uniquement matériels. Certains voient s'envoler, en une minute, le travail d'une vie. Ce nuage dans le ciel tout à l'heure c'était la poussière de leurs rêves.

La salle de bains

J'imagine l'effarement de ceux qui étaient dans la salle de bains au moment des premières secousses du séisme. On a tous été pris de court, mais ceux qui se trouvaient sous la douche ont dû vivre un moment de pure panique. On se sent toujours plus vulnérable quand on est nu, surtout couvert d'eau savonneuse. Un grand nombre de ces gens, dans leur précipitation, sont partis en oubliant de fermer le robinet.

Les choses

L'ennemi n'est pas le temps mais toutes ces choses qu'on a accumulées au fil des jours. Dès qu'on ramasse une chose on ne peut plus s'arrêter. Car chaque chose en appelle une autre. C'est la cohérence d'une vie. On retrouvera des corps près de la porte. Une valise à côté d'eux.

Où es-tu, chérie ?

C'est très rare que tous les membres d'une même famille soient réunis au même endroit, au même moment, dans une aussi grande ville. Et surtout à une pareille heure : 16 h 53. On a quitté le lieu de travail, mais on n'est pas encore arrivé à la maison. C'est un moment où l'on ne peut pas savoir avec certitude où se trouve l'autre. Dans une famille où l'on tente de joindre les deux bouts, si la mère est à une place, le père est ailleurs. Jamais les deux au même endroit. Les enfants flânent après l'école. Seuls les vieux parents sont à la maison. Autour de moi, les gens n'arrêtent pas de crier dans leur portable : « Où est ton frère ? », « Où est ta sœur ? », « Maman, réponds-moi s'il te plaît », « Où es-tu, chérie ? », « As-tu parlé aux enfants ? », « On se retrouve où ? » Pour finir par hurler à l'autre comme s'il pouvait entendre : « La ligne ne marche plus. » On essaie alors d'emprunter l'appareil d'un voisin. Le problème est général. Ils déambulent en manipulant fébrilement ce mince objet qui les a mis en contact avec un être cher. Il faut imaginer toute une ville où chacun cherche simplement à localiser un parent ou un ami. On crie de plus en plus fort dans l'appareil. On entend de moins en moins l'autre. On s'impatiente. Chacun reste muré dans son drame personnel. Le langage se résume alors à l'essentiel. Puis ce silence.

La nuit

La plupart des gens de Port-au-Prince ont dormi, cette nuit-là, à la belle étoile. Les nuits précédentes étaient assez froides. Celle-là est chaude et étoilée. Je n'avais pas dormi à la belle étoile depuis mon enfance. Couchés sur le sol, nous ressentons chaque tressaillement de la terre au plus profond de notre être. On fait corps avec la terre. Je pissais dans les bois quand mes jambes se sont mises à trembler. L'impression que c'est la terre qui tremblait. Je me promène un moment dans le jardin, tout étonné de constater que les fleurs les plus fragiles se balancent encore au bout de leur tige. Le séisme s'est donc attaqué au dur, au solide, à tout ce qui pouvait lui résister. Le béton est tombé. La fleur a survécu.

Le temps

Je ne savais pas que soixante secondes pouvaient durer aussi longtemps. Et qu'une nuit pouvait n'avoir plus de fin. Plus de radio, car les antennes sont cassées. Plus de télé. Plus d'Internet. Plus de portable – on a eu le temps de passer de brefs appels à des proches. Ce fut un moment étrange quand on a compris qu'on ne pouvait avoir de contact à distance avec les autres. Tous les fils qui nous reliaient les uns aux autres étaient maintenant coupés. Nous ne pouvons communiquer qu'avec ceux qui sont à portée de notre voix. Le temps humain venait de se glisser dans les soixante secondes qu'ont duré les premières violentes secousses sismiques.

Le lieu

Au moment où c'est arrivé, les gens étaient éparpillés un peu partout : dans les maisons (les grands-parents et les malades), dans les écoles (ceux qui traînaient car les classes étaient terminées depuis près d'une heure), dans les bureaux (les meilleurs employés sont souvent les derniers à partir), dans les supermarchés (ceux qui ont un salaire régulier), dans les marchés publics qui sont généralement en plein air (ceux-là ne risquaient rien), dans les rues (plus de la moitié de la population). Un grand nombre de gens étaient encore pris dans les embouteillages monstre qui paralysent Port-au-Prince aux heures de pointe. Toute cette agitation s'est brusquement arrêtée à 16 h 53. Le moment fatal qui a coupé le temps haïtien en deux. Nous regardons Port-au-Prince avec l'air hébété d'un enfant dont le jouet vient d'être, par mégarde, piétiné par un adulte.

La radio

Une voiture stationnée près du trottoir. Toujours en marche. La radio fonctionne. Les gens ne prennent plus la peine d'éteindre le moteur en quittant leur voiture. Je cherche à avoir des nouvelles des autres quartiers de la ville. On aimerait connaître l'étendue des dégâts. J'entends soit un grésillement, soit une émission préenregistrée. En tournant le bouton je tombe sur RFI (Radio France Internationale), qui ne donne pas de nouvelles du séisme – pas encore. J'éteins la radio. Où est passé le chauffeur ? Les gens se croient moins en danger à pied. Ils laissent leur voiture quelque part pour prendre la route, souvent sans destination. Des gens qui n'ont jamais fait cent mètres à pied ont parcouru des kilomètres, ce soir-là, sans sentir aucune fatigue. Leur esprit est si agité qu'ils n'ont plus conscience de leur corps. Deux groupes de gens se sont toujours côtoyés dans cette ville : ceux qui vont à pied et ceux qui possèdent une voiture. Deux mondes parallèles qui ne se croisent que lors d'un accident. C'est impossible de connaître son voisin quand on ne traverse le quartier qu'en voiture, se lamente une mère qui vient de perdre son fils. Elle ajoute que ce sont les pauvres du voisinage (elle traversait le quartier deux fois par jour sans jamais les voir) qui ont été les premiers à l'entourer quand elle a su que son fils était sous les décombres de sa maison. Pour une fois, dans cette ville hérissée de barrières sociales, on circule tous à la même vitesse.

La prière

La nuit vient de tomber brutalement, comme toujours sous les tropiques. On se chuchote nos angoisses. De temps en temps, on entend un cri étouffé, quelqu'un parvient à joindre par téléphone un parent et reçoit des nouvelles de sa famille. Ce jeune employé de banque me glisse qu'il n'ose pas appeler chez lui de peur d'avoir une mauvaise nouvelle. Sa famille réside dans un des quartiers les plus touchés – à Pacot. Je ne sais pas quoi lui dire. Soudain, un homme se met debout et entreprend de nous rappeler que ce tremblement de terre est la conséquence de notre conduite inqualifiable. Sa voix enfle dans la nuit. On le fait taire, car il réveille les enfants qui viennent tout juste de s'endormir. Une dame lui demande de prier dans son cœur. Il s'en va en criant qu'on ne peut pas demander pardon à Dieu à voix basse. Des jeunes filles entament alors un chant religieux, si doux que certains adultes se sont endormis. Deux heures plus tard, on entend cette clameur. Des centaines de personnes prient et chantent dans les rues. C'est pour eux la fin du monde que Jéhovah annonçait. Une petite fille, près de moi, veut savoir s'il y a classe demain. Un vent d'enfance souffle sur nous tous.

Les animaux

Les chiens et les coqs nous ont accompagnés toute la nuit. Le coq de Port-au-Prince chante n'importe quand. Ce que je déteste généralement. Cette nuit-là, pourtant, j'attendais sa gueulante. Quant aux chats, on n'a pas entendu leurs miaulements. Port-au-Prince est beaucoup plus une ville de chiens que de chats. Les chiens, souvent dans la rue, ont survécu aux chats qui se sont refugiés sous les lits et dans les placards. Les oiseaux, eux, se sont envolés dès les premiers frémissements du sol.

La foule

La ville, durant cette première nuit, est occupée par une foule disciplinée, généreuse et discrète. Des gens déambulent sans cesse avec une étrange détermination. Ils semblent indifférents à la douleur qu'ils portent avec cette élégance qui suscite l'admiration universelle. La planète est déjà vissée devant le petit écran pour assister à une étrange cérémonie où les vivants et les morts se frôlent tant et si bien qu'on ne les distingue plus. Si Malraux, à la veille de mourir, s'était rendu en Haïti, c'est qu'il avait l'impression que les peintres de Saint-Soleil avaient intuitivement découvert quelque chose qui rend futile toute agitation face à la mort. Un chemin secret. On s'étonne que ces gens puissent rester si longtemps sous les décombres, sans boire ni manger. C'est qu'ils ont l'habitude de manger peu. Comment peut-on prendre la route en laissant tout derrière soi ? C'est qu'ils possèdent si peu de choses. Moins on possède d'objets, plus on est libre, et je ne fais pas là l'éloge de la pauvreté. Ce n'est pas le malheur d'Haïti qui a ému le monde à ce point, c'est plutôt la façon dont ce peuple a fait face à son malheur. Ce désastre aura fait apparaître, sous nos yeux éblouis, un peuple que des institutions gangrenées empêchent de s'épanouir. Il aura fallu que ces institutions disparaissent un moment du paysage pour qu'on voie surgir, sous une pluie de poussières, un peuple à la fois fier et discret.

Le chant

Les enfants dorment depuis un moment. On voit des ombres passer dans le jardin. Des gardiens qui assurent la surveillance. Soudain un chant monte. On l'entend au loin. Un gardien nous dit qu'il y a dehors (on est assez loin de la route) une grande foule en train de chanter. Les voix sont harmonieuses. C'est là que j'ai compris que tout le monde était touché. Et qu'il s'était passé quelque chose d'une ampleur inimaginable. Les gens sont dans les rues. Ils chantent pour calmer leur douleur. Une forêt de gens qui s'avancent lentement sur la terre encore frémissante. On voit des ombres glisser des montagnes pour les rejoindre. Comment font-ils pour se fondre si vite dans la foule ? C'est ce chant qu'ils adressent au ciel, dans la lumière blafarde de cette aube naissante, qui les unit.

Quarante-trois secousses

De temps en temps, une légère secousse réveille nos angoisses. Ce sont plutôt des tressaillements. Comme si la terre elle-même n'arrivait pas encore à se reposer complètement. On entend dire que ce n'est pas fini. Que d'autres secousses majeures nous attendent. Tout cela est de l'ordre de la rumeur puisque aucun spécialiste des séismes n'a encore pris la parole. On n'arrive pas à accepter le fait de ne pas pouvoir se mettre à l'abri si les choses devaient dégénérer à nouveau. On attend. A chaque nouvelle secousse, si minuscule soit-elle, on voit les têtes de ceux qui sommeillaient se relever comme des lézards aux aguets. On entend quelques cris étouffés. C'est qu'on ignore ce que nous réservent les prochaines secondes. On ne sait pas ce qui se trame sous nos ventres. On peut se cacher du vent ou même du feu, mais pas d'un sol qui s'agite. On observe l'autre du coin de l'œil pour jauger sa peur et mesurer la nôtre. Près du grillage du terrain de tennis, à côté d'un gardien de sécurité somnolant, une petite radio crachote. Il arrive parfois qu'on perçoive des bribes de ce qui se dit. Souvent c'est une voix qui gueule des publicités de matelas. Ce qui fait sourire quand toute la ville dort à même le sol.

Le piège de béton

Une dame, qui n'habite pas loin d'ici, a passé la nuit à parler à sa famille encore piégée sous une tonne de béton. Assez vite, le père n'a plus répondu. Ensuite, l'un des trois enfants. Plus tard un autre. Elle n'arrêtait pas de les supplier de tenir encore un peu. Plus de douze heures après, on a pu sortir le bébé qui n'avait pas cessé de pleurer. Une fois dehors il s'est mis à sourire.

La révolution

La radio annonce que le Palais national est cassé. Le bureau des taxes et contributions, détruit. Le palais de justice, détruit. Les magasins, par terre. Le système de communication, détruit. La cathédrale, détruite. Les prisonniers, dehors. Pendant une nuit, ce fut la révolution.

Les premiers messages

C'est le jour. On se réveille lentement. Certains dorment encore. Surtout ceux qui ont veillé toute la nuit. La nuit fait peur. Le jour rassure. On a tort car c'est en plein jour que tout s'est passé. Nous nous retrouvons, à nouveau, dans la cour de l'hôtel, sous les grands arbres. On est comme grisés d'être encore en vie, même dépouillés de l'essentiel. On cherche à joindre les autres. Les systèmes de communication (portable, téléphone fixe, Internet) ne fonctionnent pas encore à plein régime. Quelqu'un crie qu'on peut trouver un accès à Internet devant l'hôtel. On s'y précipite. Je suis, à chaque fois, étonné par cette capacité du groupe de trouver une sortie quand tout semble sans issue. On s'éparpille et soudain quelqu'un lance : ils sont ici. J'y cours pour tomber sur une rangée de gens déjà assis par terre, à l'entrée de l'hôtel, en train d'envoyer fébrilement des messages à leurs proches. On doit se dépêcher car Internet, nous dit-on, peut tomber en panne à tout moment. Un type en sueur à côté de moi fixant intensément son écran. Je découvre qu'il est en train de regarder les nouvelles. Je lui arrache l'appareil des mains. Il se retourne vers moi, ahuri, sans le reprendre pour autant. Je peux alors envoyer ce premier message à ma femme : « Je vais bien, mais la ville est brisée. » J'ajoute que Saint-Eloi aussi va bien et qu'on ne se quitte pas d'une semelle. Notre petit groupe donne l'impression d'être échoué sur une île déserte au lendemain d'une grosse tempête en mer.

Dehors

Nous conversons depuis un moment autour d'une table, dans la cour de l'hôtel, quand l'écrivain Lyonel Trouillot est arrivé. Il nous raconte qu'il était passé la veille, en soirée. Comme tout était dans le noir, il est reparti. Trouillot a fait la route à pied, hier. Connaissant ses problèmes de santé, il a dû déployer un effort inouï. De chez lui, il a dû marcher dans le noir durant deux bonnes heures. Il semble pourtant détendu. Il est en voiture cette fois. Je compte profiter de cette opportunité pour aller voir ma mère que je n'ai pu joindre par téléphone. Saint-Eloi nous accompagne. L'hôtel est situé un peu à l'écart de la route principale. Cette centaine de mètres suffit pour nous couper des autres. Nous quittons cette vie d'hôtel pour tomber dans la chaudière de Port-au-Prince et son étouffante réalité.

La marchande de mangues

C'est la première image que je vois sur la route qui mène à Pétion-ville. Une marchande assise le dos contre un mur. Une dizaine de mangues étalées devant elle. C'est son commerce. Pour elle, rien de nouveau. Je n'ai pas pensé à lui en acheter, moi qui raffole des mangues. J'entends Saint-Eloi murmurer derrière moi : « Quel peuple ! » Ces gens sont tellement habitués à chercher la vie dans des conditions difficiles qu'ils porteront l'espérance jusqu'en enfer.

Les premiers corps

Juste à l'entrée de Pétion-ville, je vois les premiers corps par terre. Bien rangés les uns à côté des autres – huit cadavres. Je ne sais pas dans quelles conditions ils sont morts, ni qui les a rangés ainsi. Les habitations sont en contrebas. Des maisons légères, en tôle. On se demande qui a placé ainsi les corps sur le bord du chemin ? Pas le gouvernement qui n'a pas encore repris ses esprits. Pas les parents non plus, sinon ils auraient trouvé un moyen pour les enterrer. Ce sont peut-être des morts anonymes. Des gens que personne ne connaît dans le quartier. Les gens circulent beaucoup dans cette ville où il n'est pas facile de trouver un emploi. On va chercher la vie là où elle se trouve. J'apprendrai plus tard qu'il y a tant de morts que ce sera impossible de les enterrer individuellement. Le chiffre va augmenter à chaque heure jusqu'à qu'à prendre toute la place. Au point où on ne parle plus des morts mais du nombre de morts.

Le rythme

On arrive à Pétion-ville. Je compte une dizaine de maisons brisées. Peut-être qu'il y en a d'autres. Je ne peux voir que celles qui bordent la rue. Pétion-ville semble tenir le coup. Je respire un peu. Les gens discutent par petits groupes sur le trottoir. Je m'attendais à une foule écrasée par la douleur, mais la vie imposait déjà son rythme. Même le malheur ne parvient pas à ralentir l'incessante activité quotidienne dans ces régions pauvres du monde.

Un bon vivant

Un homme debout près d'une grande barrière rouge. « C'est mon père », dit Saint-Eloi. Même petite lueur chaleureuse au fond des yeux. Et aussi même façon de bomber le torse. Ces deux-là se ressemblent trop pour ne pas être complices. Saint-Eloi raconte que son père est un bon vivant qui aime faire la cuisine, bavarder avec les jeunes marchandes qui passent devant sa porte. Un homme dont l'intérêt pour les femmes ne s'est jamais émoussé. Saint-Eloi descend de la Jeep pour aller voir son père. Je reste dans la voiture. Ils discutent en se touchant de temps en temps l'avant-bras. Dix minutes plus tard, le voilà qui revient. Son père nous fait signe de la main avant de fermer la barrière. « Ça va ? » je finis par demander à Saint-Eloi. « Il y a cette cousine qui était au Caribbean Market. Elle était, paraît-il, déjà à la porte quand elle a reçu un bloc de ciment sur la tête... Un pas de plus, et elle aurait été hors de danger. » On roule en silence jusqu'à l'entrée de Delmas.

Le Caribbean Market

On entre dans le vaste quartier de Delmas, ce monstre insatiable dont les tentacules menacent d'étouffer à tout moment Pétion-ville – cette fragile banlieue bourgeoise où on croise de plus en plus de pauvres. Zone de circulation intense où les humains et les voitures sont en frôlements constants. Bruits divers (klaxons, cris, sirènes) venant d'une foule toujours survoltée. Les immeubles commerciaux qui donnent sur la route principale cachent des milliers de petites ou grandes maisons construites de manière si anarchique qu'on a l'impression d'un espace livré à lui-même. Quiconque pénètre dans ce fouillis pour la première fois risque de tourner en rond un bon moment s'il ne trouve une âme charitable pour lui indiquer le chemin. L'Etat a tenté, sans succès, d'y mettre un peu d'ordre en numérotant les différentes entrées. On dirait une zone bombardée par l'aviation. Un immeuble sur cinq est par terre. Peu de voitures, ce qui rend la circulation étonnamment fluide. On me pointe du doigt le Caribbean Market toujours fourmillant de clients à cette heure. Mon cœur se serre à les imaginer sous cet amoncellement de pierres. Les gens moyennement fortunés passent, en sortant du travail, s'approvisionner ici. C'est là qu'ils échangent les potins du jour, profitant surtout de ces rencontres fortuites pour se lancer des invitations de toutes sortes. Le Caribbean Market était devenu la plaque tournante dans la vie de cette petite bourgeoisie qui a bourgeonné dans le coin durant ces vingt dernières années.

L'argent

Je note ce moment très bref où l'argent a disparu de la circulation. Pendant quelques heures, dans une métropole de trois millions d'habitants, personne n'a sorti un billet de banque pour acheter quoi que ce soit. Les magasins étant détruits, les marchandises devenaient à portée de main. On ne pouvait que les donner ou les échanger. Le commerce se fait généralement entre les vivants. Mais, pour une fois, les vivants de cette ville ne pensaient qu'aux morts et aux disparus qu'ils recherchaient activement un peu partout dans la ville. Ce fut en effet très bref car les gens n'ont pas attendu d'enterrer les morts pour revenir à l'argent. On a recommencé à y penser dès que le moindre avenir a été envisageable.

Un carré jaune

Une impression de déjà-vu. Je connais ce coin. Me voyant agité, Trouillot ralentit. Il me confirme que c'est l'immeuble de Télé-Ginen. Compè Filo travaille là. C'est ici que j'étais hier jusqu'à 15 h 30 de l'après-midi. J'aurais pu y être encore à 16 h 53. Entre deux blocs de béton, j'aperçois un petit carré jaune de la dimension d'une plaque d'immatriculation. C'est tout ce qui reste de la petite voiture qui m'a emmené à l'hôtel Karibe après mon entrevue avec Filo. J'examine l'immeuble complètement aplati pour découvrir, tout au fond, quelques photos miraculeusement épargnées à côté des trophées, que j'avais pu remarquer hier, sur le bureau de la propriétaire de Télé-Ginen, une femme affable que Filo m'avait rapidement présentée. J'étais pressé. Il me fallait être à l'hôtel Karibe avant 17 heures. Après beaucoup de tergiversations, car il voulait me conduire lui-même là-bas pour qu'on ait le temps de converser un peu en chemin, il a accepté finalement de me faire déposer à l'hôtel, par un jeune journaliste, dans cette petite voiture jaune que je viens de voir complètement aplatie sous les décombres de l'immeuble de la télé. Cet édifice est un étrange labyrinthe où j'ai vu, hier, une chorale de jeunes filles en blanc en transe. J'ai écouté un pasteur hurler dans un micro mal réglé avant de découvrir, en arpentant les couloirs, que c'était la retransmission d'une cérémonie religieuse. Filo au même moment, dans son studio, faisait l'apologie du vaudou et de la culture populaire. Cet immeuble me fait penser à une jungle meurtrière où tout prolifère dès qu'on tourne le dos. Ce matin je ne vois personne (aucun employé) qui pourrait me renseigner quant au sort de ses occupants. Chacun semble préoccupé par ses propres soucis. Je me rappelle avoir pensé en quittant Télé-Ginen qu'il n'y aurait pas de survivant si jamais un incendie se déclarait ici.

La chaise musicale

Les gens déambulent dans les rues, espérant croiser un parent, un ami, un voisin ou même une simple connaissance. Il faut que quelqu'un d'autre légitime notre prétention d'être vivant. On est encore un zombi tant que personne n'a crié notre nom. Celui qu'on n'a pas vu est peut-être mort. Lui aussi, de son côté, croit que vous êtes mort tout en espérant vous revoir vivant. Il n'y avait aucun moyen de savoir où la mort nous attendait. Certains ont tout fait pour être au rendez-vous fixé. D'autres ont quitté le lieu fatal quelques secondes avant. Dire qu'on n'a pas su qu'on jouait à ce moment-là notre vie à pile ou face. J'ai quitté Télé-Ginen pour être à 17 heures à l'hôtel Karibe – ce pourrait être le contraire. C'est le jeu de la chaise musicale avec la participation d'une ville entière. Il y a beaucoup plus de gens que de chaises quand la musique commence. On doit trouver une chaise vide quand elle s'arrêtera à 16 h 53 précises.

Ça

On n'a pas idée de ce qui nous attend dans les prochaines années. Les gens, comme les maisons, se situent dans ces trois catégories : ceux qui sont morts, ceux qui sont gravement blessés, et ceux qui sont profondément fissurés à l'intérieur et qui ne le savent pas encore. Ces derniers sont les plus inquiétants. Le corps va continuer un moment avant de tomber en morceaux un beau jour. Brutalement. Sans un cri. Car ils auront refoulé à l'intérieur d'eux tous les cris. Ils risquent d'imploser un jour. En attendant, ils donnent l'image d'une personne en parfaite santé. Une sorte de bonhomie alliée à une grande énergie. Un bonheur d'être qui vient du fait d'avoir frôlé la mort. Ils ont pu mettre une distance entre eux-mêmes et ces images qui les habitent. Ils en parlent parfois avec une lueur joyeuse dans les yeux. Comment font-ils ? Justement, ils ne font rien. Mais on ne peut pas avoir vécu ça et continuer son chemin comme si de rien n'était. Ça vous rattrapera un jour. Pourquoi l'appelez-vous « ça » ? Parce que ça n'a pas encore de nom.

L'ami perdu

J'ai connu Filo vers la fin des années 1970. L'ai-je croisé au conservatoire d'art dramatique qui occupait, après les classes, les vastes salles du lycée de Jeunes Filles ? Peut-être au stade Sylvio-Cator, où on allait voir les finales qui opposaient le Racing Club à l'Aigle noir ou au Violette ? J'ai l'impression que Filo a toujours été dans ma vie. On faisait partie de la petite bande d'affamés qui confondaient l'art avec la révolution. Radio Haïti-Inter recrutait de nouveaux journalistes. Filo y est allé. Au début, ça ne marchait pas, il était trop rebelle pour suivre les règles strictes de la radio. Il n'avait aucune notion du temps. Il arrivait à son émission avec une demi-heure de retard. Finalement, la direction a trouvé l'astuce : le loger dans la dernière case de la journée. Il pouvait arriver quand il voulait et faire ce qu'il voulait. Il n'était écouté que par des insomniaques qu'il aidait à passer la nuit. Du jour au lendemain, Filo était devenu une star. Sa gouaille et son esprit vif de jeune homme des quartiers populaires ont tout de suite plu à toutes les couches de la société. Jean-Claude Duvalier a fait jeter en prison puis envoyer en exil, en novembre 1980, la plupart des journalistes influents du pays dont Filo, muselant du même coup ce qu'on appelait alors « la presse indépendante ». Ils sont tous revenus après le départ en exil de Baby Doc en février 1986. Il y a eu quelques dissensions au sein de ce groupe de journalistes contestataires conduisant à un passage à vide pour certains. Filo a erré dans la ville un moment. Quand je demandais de ses nouvelles, lors de mes passages à Port-au-Prince, on ne savait pas toujours où il se trouvait. On me fit comprendre qu'il s'occupait à des choses diverses, une façon élégante de dire qu'il ne faisait plus partie de la tribu. La dernière fois que je l'ai vu c'était à l'hôtel Kinam en 2008 – il était venu m'interviewer pour son émission à Télé-Ginen. Filo était dans une classe à part. Les autres ne semblaient pas avoir beaucoup progressé depuis. Lui avait bougé dans sa tête. Il avait bien sûr ce discours religieux qui pouvait faire peur à la gauche haïtienne, mais il était resté aussi malin qu'auparavant. Assez subtil pour ne pas chercher à imposer aux autres ses croyances. Il m'avait fait cadeau ce jour-là d'une image de la Vierge noire de Pologne que les vaudouisants prennent pour la version polonaise de la déesse Erzulie. Je l'ai encore. Avec son costume traditionnel, son chapeau de paysan, Filo donne l'impression de n'avoir jamais quitté les années 1970, époque marquée par cette furieuse recherche d'authenticité dans le milieu intellectuel. Par-delà ce choix vestimentaire, j'ai pu repérer l'un des esprits les plus vifs du pays. Je l'ai recroisé dès mon arrivée au début du mois devant le Rex Théâtre, et on a pris rendez-vous pour le 12 janvier. Je le retrouve à la station de radio, sur Delmas. On commence l'entrevue avec plus d'une heure de retard. Filo donne cette fausse impression de ne s'intéresser qu'à la culture populaire, alors qu'il est bien informé sur beaucoup d'autres sujets. Je connais chacun de ses tics, comme ce petit sourire en coin pour dire qu'il n'est pas dupe. Bon, il insiste pour me reconduire à l'hôtel, mais il doit rencontrer avant un groupe d'hommes d'affaires américains qui voudraient investir dans la radio. Je risque d'être en retard si je l'attends. Je dois partir tout de suite si je veux être à mon rendez-vous de 17 heures. Filo finit par accepter. J'arrive à l'hôtel Karibe juste à temps pour accueillir l'éditeur Rodney Saint-Eloi qui débarque de Montréal avec deux valises bourrées de livres et l'envie pressante de prendre une douche. Je l'amène plutôt au restaurant de l'hôtel où on commande un homard et un poisson gros sel. Le serveur nous apporte une corbeille de pain que j'entame à l'instant même où Port-au-Prince se met à trembler.

Le court métrage

Si je repasse si souvent dans ma tête ces minutes qui précèdent l'explosion c'est parce qu'il est impossible de revivre l'événement lui-même. Il nous habite trop intimement. Aucune distance n'est possible avec une pareille émotion. C'est un moment éternellement présent. On se rappelle l'instant d'avant dans les moindres détails. Un petit bout de film où des gens étaient en train de rire, de pleurer, de discuter, de s'engueuler, de s'embrasser, de s'énerver à cause du retard de l'autre, de manger, de mendier, de se saluer, de prendre rendez-vous pour demain ou plus tard dans la soirée, de jurer à l'autre qu'on ne lui mentira plus, de voler, de tuer, de torturer, de faire des promesses qu'on sait qu'on ne pourra pas tenir, de consoler quelqu'un qui vient de perdre un être cher, d'agoniser à l'hôpital, de jouer au football, d'arriver à Port-au-Prince pour la première fois ou de quitter le pays (un avion venait tout juste de décoller). Toutes ces petites choses qui, en nous reliant l'un à l'autre, finissent par tisser cette grande toile humaine. A partir de 16 h 53, notre mémoire tremble.

Une Jeep verte

Trois brefs coups de klaxon. La Jeep verte qui nous suivait depuis un moment a fini par nous rejoindre. Qu'est-ce qui se passe ? Des bras sortent des portières comme des branches d'arbre sans feuilles. Ils nous expliquent qu'ils font le tour de la ville pour saluer les vivants. On tourne à droite. Ma mère habite Delmas 31.

Chez Frankétienne

Nous tournons en rond, depuis un moment, dans ce dédale de ruelles dont un grand nombre sont devenues des culs-de-sac. On a fini par déboucher sur cette rue montante qui mène chez Frankétienne. L'épais mur rouge, qui donnait à sa maison une allure de petite forteresse, est rudement touché. Un pylône électrique tordu bloque l'entrée. Des fils pendent le long de la barrière. Un voisin nous signale sa présence. Je lève la tête. Un grand trou dans le mur. Sa bibliothèque est dévastée. On pousse la barrière en faisant attention aux câbles par terre. Aucune envie de recevoir une décharge électrique après avoir échappé à un tremblement de terre. En effet, il arrive, alerté par nos voix. Je ne l'ai jamais vu si bouleversé. Rouge comme un homard ébouillanté. Sans théâtre. Nu dans sa douleur. Il nous garde longuement dans ses bras. Sa femme se pointe, discrète comme toujours, derrière lui. Son sourire se fait plus triste qu'à l'ordinaire. Frankétienne nous raconte l'événement à sa manière. On sent qu'il porte cette ville en lui. Il se tourne vers sa maison éventrée qu'il regarde d'un air accablé. Il a entendu un bruit de train, comme la plupart des gens, avant de conclure que c'était « le bruit de ce que contient Port-au-Prince qui se fracasse ». Une image de poète. Et ce nuage qu'il a d'abord pris pour un grand incendie c'était « ma ville en poussière ». On sent qu'il fait corps avec cette ville. Nous évitons de nous regarder. Le cri d'un oiseau dans ce ciel de midi. Frankétienne l'observe un moment s'envolant vers les montagnes dénudées qui entourent Port-au-Prince avant de reprendre son récit. Il était sur la terrasse avec un journaliste sud-américain quand tout est arrivé. Etant en symbiose avec les éléments, il a tout de suite compris qu'il s'agissait d'un tremblement de terre. Suivi du journaliste, il descend l'escalier en catastrophe, attrape au passage sa femme qui était dans la cuisine, pour continuer vers la cour. Le voilà tout essoufflé à la fin du récit. Frankétienne, souvent pris dans les rets d'un quotidien banal, paraît trouver cette fois un événement à la mesure de son appétit gargantuesque. Un seul endroit a été épargné : le jardin dans lequel on s'est retrouvé maintes fois pour discuter de Tolstoï, de Joyce ou de Dieu (Frankétienne ne s'embarrasse pas du menu fretin). On reste un moment sans rien dire, puis

Frankétienne, comme s'il venait de se rappeler notre présence, nous invite à voir les dégâts. Des tableaux par terre. Les grands murs couverts de fresques sont craquelés. Sa maison est une galerie d'art remplie de ses œuvres. Ses livres sont partout. Il est à la fois artiste et commerçant – un homme de la Renaissance. A ma dernière visite, il m'avait emmené dans son petit entrepôt où il stockait des centaines de tableaux. Ce jour-là, il m'avait demandé d'en choisir un. Je n'ose pas lui demander dans quel état se trouve aujourd'hui l'entrepôt. Le voilà qui nous raconte, avec la mimique nécessaire, qu'il était en train de répéter une pièce sur le tremblement de terre une demi-heure avant l'explosion. Debout au milieu de la cour, il se met à déclamer. Nous reculons pour lui laisser l'espace nécessaire à son jeu. Cela parle d'un Port-au-Prince « qui se déchire, qui se fissure ». Frankétienne nous refait le séisme avec ses mots. Son solo prophétique. Marie-Andrée le surveille du coin de l'œil pour qu'il ne s'emballe pas trop. Soudain, il se calme. Nous l'entourons. Il n'est plus l'homme infatigable qu'il a déjà été. Et parfois il l'oublie. Je le connais depuis assez longtemps pour savoir qu'il n'a jamais été autant affligé. Il ne pleure pas sur lui-même, mais sur cette ville qu'il n'a jamais voulu quitter. Frankétienne sent qu'il ne pourra jamais jouer cette pièce « qui porte la poisse ». On lui fait comprendre qu'au contraire sa pièce fait aujourd'hui partie de tout ça. Port-au-Prince doit absorber ce séisme pour éviter qu'il nous avale. Au lieu de fuir, nous devons affronter « la chose », comme on l'appelle déjà dans les quartiers populaires. Il nous faut le nommer si nous voulons le digérer. Frankétienne doit quitter sa tanière. Les gens ont besoin de le voir. Comme ce jeune homme qui, me voyant hésiter à franchir la barrière, m'a lancé de l'autre côté de la rue : « Il est là. Le poète est chez lui. »

Les bras en croix

Debout au milieu de la rue, les bras en croix, une femme demande des comptes au ciel. On comprend vite qu'elle a perdu toute sa famille. Elle voit une cruauté dans le fait d'avoir été épargnée. Ils étaient tous à table. Elle est sortie chercher un plat qui cuisait dans la cour quand tout s'est mis à trembler. Elle a eu la présence d'esprit de sauver le repas. Quand elle s'est retournée la maison était un amas de pierres. Elle veut savoir pourquoi Il ne lui a pas permis de mourir avec les siens ? On attend qu'elle termine pour continuer notre chemin.

Chez ma mère

Ma mère n'habite pas loin de chez Frankétienne. On tourne à gauche à la première ruelle. Mon cœur se serre. Pourtant, les maisons dans sa petite rue ombragée, par je ne sais quel miracle, semblent encore debout. On roule lentement. Un silence inhabituel. Pays glacé. Je ne sais absolument pas ce qui m'attend. Mon cœur bondit quand je vois mon beau-frère (le poète Christophe Charles) près de la grande barrière rouge. Il a l'air soucieux, mais pas plus que d'habitude. On range la voiture le long du mur. J'ai le temps de constater que la maison neuve, juste en face de chez ma mère, est complètement détruite. Rien à faire. Son propriétaire en était si fier. Le maigre sourire de mon beau-frère me rassure pourtant. Je me dis que s'il était arrivé quelque chose il ne serait pas dehors. Je tente de me temporiser car on ne sait jamais. Je serre la main molle de Christophe qui se contente de nous laisser passer. Tout le monde est dans la cour, même mon neveu Dany (on porte le même nom pour que le dictateur, qui m'a poussé à l'exil, n'ait pas le dernier mot). Je frémis en pensant que mon neveu aurait pu être à l'université ou ailleurs au moment du séisme. Il était passé, par hasard, à la maison, n'ayant pas l'habitude de rentrer chez lui avant le crépuscule. Delmas 31 est une zone difficile d'accès (le transport public n'y pénètre pas) et il n'a pas de voiture. D'ordinaire, son père le récupère après les cours. Mais cette fois il était là. Et sans mon neveu, il n'y aurait eu à la maison que ma mère, une femme de plus de quatre-vingts ans (même à moi elle ne dit pas son âge) et tante Renée qui ne peut se déplacer sans aide. Les voilà tous, sains et saufs. C'est moi qu'on attendait. Tante Renée est couchée sur un matelas jeté dans la cour. Elle a l'air de s'y faire. Ma mère, tout excitée, me prend dans ses bras. Elle me chuchote à l'oreille cette litanie : « J'aurai tout vu dans ce pays : des coups d'Etat militaires, des cyclones à répétition, des inondations dévastatrices, des dictatures héréditaires, et maintenant un tremblement de terre. » Je remarque qu'elle tient un compte précis des désastres naturels qui nous sont tombés dessus durant les deux dernières décennies. Je ne sais plus s'il faut inscrire la dictature parmi les désastres naturels. Elle est peut-être à l'origine de tous ces malheurs ou simplement leur continuité logique. Ma mère insiste : « J'aurai tout vu. » Je fixe un moment ses grands yeux qui ont tout vu. Cette tristesse n'a duré qu'un instant. Ma sœur nous prépare un thé amer dont la propriété est de faire baisser la tension. Tante Renée me serre la main (sa main est plus osseuse que la dernière fois). La maison ne semble pas très endommagée. Ma mère me prend par le bras pour me montrer une petite fissure dans le salon, et une autre plus importante dans la salle de bains. Pas bien grave, mais assez pour l'inquiéter. En fait, on est si fortement ébranlé que cette peur nous habitera longtemps encore. La mort, quand elle arrive de manière si inattendue et massive, ne quitte pas facilement notre esprit. C'est tellement grand qu'au lieu de nous plonger dans la tristesse, je sens plutôt monter lentement une sensation proche de l'ivresse. Même ma sœur, si soucieuse d'ordinaire, me paraît tout à coup plus légère. Les graves problèmes d'aujourd'hui effacent les angoisses mineures d'hier. L'impression que nous avons enfin atteint le fond et qu'on ne peut que remonter à la surface. Et puis il y a la simple joie d'être encore en vie.

Mon neveu

J'ai fait quelques pas, dans la cour, avec mon neveu. Les petites cahutes de l'autre côté du ravin ont bien résisté. Le vieux mur est tombé. On s'assoit sur le capot de la voiture.

— Je vais écrire, fais-je.

— Ah oui…

— Je vais écrire sur ça.

Je n'arrive pas encore à le nommer.

— Très bien, me fait-il gravement.

On dirait qu'il a mûri en une nuit.

— A quoi penses-tu ?

Un chien remonte la rue. De quoi peut-il bien vivre, maintenant que les gens sont aussi démunis que lui ? Il semble assez souple et maigre pour trouver à manger sous les décombres.

— Je peux vous demander quelque chose, mon oncle ?

Je sens que c'est sérieux.

— Je t'écoute.

— J'aimerais écrire quelque chose sur ça...

— Ce n'est pas interdit.

Il garde la tête baissée, mais je sens qu'il n'a pas fini.

— Qu'est-ce qu'il y a ?

— J'aimerais que vous n'écriviez pas là-dessus.

Ce garçon n'a pas froid aux yeux.

— Ça ne se fait pas, tu sais... Comme tu vois (je lui montre mon carnet noir), je n'ai pas arrêté de prendre des notes.

— Non, fait-il en riant, ce n'est pas ce que j'ai voulu dire... Vous pouvez écrire votre journal, mais pas de roman.

Abasourdi, je le regarde m'expliquer en détail que c'est l'événement de son époque et non la mienne. La mienne, c'était la dictature. Lui, c'est le séisme. Et il entend bien que ce soit sa sensibilité qui l'évoque.

— Je ne peux pas te faire une pareille promesse. Aucun livre ne prend la place d'un autre.

Je lui donne alors mon point de vue. De toute façon un pareil roman n'est pas dans mes cordes. Cela exige une puissance que je ne possède pas. De plus il est déjà écrit par la nature. Ce grand roman d'écriture classique qui se passe en un lieu (Haïti), en un temps (16 h 53) et qui met en scène plus de 2 millions de personnages. Il faudra un Tolstoï pour tenter un tel pari. J'observe du coin de l'œil son profil déterminé. Pour Homère si les dieux nous envoient des malheurs, c'est pour qu'on en tire des chants. Tolstoï, Homère : on est un peu ça avant de commencer à écrire. Et si ce jeune homme avait quelque chose dans le ventre ? Au moment de partir, ma mère me glisse une enveloppe dans la poche.

La paroisse

On a dû faire de nouveau un long détour pour déboucher sur l'autoroute de Delmas. J'ouvre enfin l'enveloppe et trouve une image de la Vierge. C'est écrit derrière, au crayon, d'une main hésitante, que cette image a été bénite par le curé d'Altagrâce, l'église que fréquente ma mère depuis que la famille vit à Delmas. C'est plus difficile de s'adapter à une nouvelle église qu'à un nouveau quartier. Quand on était à Carrefour-Feuilles, elle allait à Saint-Gérard. Une église qu'elle connaît bien car c'était la même qu'elle fréquentait quand on vivait à Lafleur-Duchêne, alors qu'on était beaucoup plus proche de l'église Saint-Alexandre. Elle a suivi la messe à Saint-Gérard durant plus de trente ans, ce qui lui a permis de mieux connaître ses voisins. Les gens se croisent au marché ou à l'église. On comprend alors qu'au début, elle trouvait toutes sortes de défauts à Altagrâce (même l'accent du prêtre l'exaspérait). Elle n'aimait pas les pauvres d'Altagrâce qui lui paraissaient trop agressifs par rapport à ceux de Saint-Gérard. Aujourd'hui, elle ne se voit pas dans une autre église. Il fallait entendre son sonore alléluia quand je lui ai annoncé qu'Altagrâce a été épargnée. Je n'ai aucune nouvelle de l'église Saint-Gérard mais on dit que le quartier de Carrefour-Feuilles est complètement par terre.

La maison de Trouillot

Nous arrivons dans le quartier de Lyonel Trouillot. Un groupe de gens entoure la voiture. On crie fort. On gesticule. Je finis par comprendre qu'il y a un blessé et qu'il faut l'emmener tout de suite à l'hôpital. Trouillot règle le problème en mettant une autre voiture à la disposition de la foule. Le bruit se retire. On avance lentement vers la maison car les gens ne cessent de s'accrocher à la portière pour nous donner des nouvelles du voisinage. On s'assoit dans la petite cour d'une modeste maison. Des plantes tout autour. Je respire mieux. Quelques instants plus tard le frère aîné des Trouillot fait son apparition dans un fauteuil (il a de la difficulté à bouger). On l'installe près de nous pour qu'il puisse prendre part à la conversation. Souriant comme toujours car rien ne peut l'abattre. Michel-Rolf Trouillot est l'auteur du premier livre d'histoire d'Haïti en créole, *Ti dife boule sou istoua Ayiti*. Je l'avais rencontré à Montréal quand il travaillait à ce livre. Il enseignait à New York à l'époque. Il s'étonnait qu'aucun livre d'histoire n'ait été écrit en créole. Cette langue dans laquelle s'exprimaient les esclaves qui s'étaient tant battus pour faire de cette colonie un pays. Pour lui c'était un point capital. Il ne voyait pas non plus le créole comme la langue du cœur tandis que le français serait celle de l'esprit. On connaît la formule de Senghor (« L'émotion est nègre et la raison est hellène »). C'est un regard de marxiste qu'il pose sur l'histoire haïtienne. Je me souviens de ces débats qui ont enflammé les années 80. Je le voyais bondir pour clarifier un point historique ou faire valoir sa vision marxiste des événements.

Il ne fut pas toujours ce vieux sage souriant tranquillement assis à ma gauche. C'est dommage que ses problèmes de santé l'empêchent de continuer ses recherches avec la même intensité qu'avant. Nous discutons de cette situation inédite tandis qu'autour de nous les gens courent dans toutes les directions comme si l'on se trouvait dans une zone de guerre. Notre calme apparent n'est que pour faire comprendre à ceux qui nous observent, à distance, qu'on a la situation bien en main. Tout en causant, les Trouillot continuent à garder un œil sur ce qui se passe. Il y a une voiture qui pourrait emmener les blessés à l'hôpital, mais pas de chauffeur. On semble coordonner ici les opérations du quartier. Le café arrive en même temps que le chauffeur qui file à l'hôpital après avoir pris une bonne gorgée, sinon il tomberait d'inanition en chemin. Ce café nous a permis de rendre la situation moins hystérique et nos actions plus efficaces. Dans ce quartier pourtant lourdement endommagé, quelques brefs rires fusent déjà. En le quittant, nous passons devant l'Université Caraïbe qu'une des sœurs Trouillot porte à bout de bras. Complètement à terre. Des dizaines de morts, paraît-il.

L'hôtel Montana

Des policiers bloquent la route afin de faire monter une énorme grue vers l'hôtel Montana. L'hôtel est juché au sommet de cette pente raide. Un homme en sueur et couvert de poussière s'approche de ma portière : je reconnais à peine le directeur de l'Institut français qui m'avait impressionné par la passion qu'il met à initier les jeunes à la lecture. Il fait aujourd'hui partie d'une équipe de secouristes qui œuvre là-haut. J'étais logé à cet hôtel au début du mois de décembre. Je n'ose imaginer le désastre. Alors qu'il y a tout ce remue-ménage autour du Montana, juste à côté on demande de l'aide. Est-ce pour enterrer des morts ou pour sauver des vies ? Je n'en sais rien. Un homme, debout près de la voiture, fait remarquer, sans trop d'amertume, qu'il n'y a pas que le Montana. Mais c'est le lieu où l'on négocie de gros contrats et où d'importantes décisions politiques se prennent. L'hôtel favori des vedettes internationales qui s'intéressent à la misère des pauvres gens. Les envoyés des organismes humanitaires y logent parfois. Comme la plupart des journalistes (surtout ceux de la télé) en ont fait leur quartier général depuis des années, on comprend l'énorme couverture de presse dont a bénéficié le Montana. Il faut dire qu'il y a beaucoup de morts (et quelques vivants) sous les décombres du Montana qui s'est effondré dès les premières secondes. La grue, qui bloquait la circulation, a fini par s'engager sur la pente menant au Montana, et on nous fait signe de passer.

La mort de Georges

Il y a des voitures dans ce parking de supermarché. Près d'une douzaine. On se range. A l'intérieur, c'est un fouillis total. Au rayon du vin, la moitié des bouteilles sont par terre. On marche sur des tessons éparpillés dans une mer de vin rouge. Les étagères sont presque vides. Saint-Eloi a pu mettre la main sur quelques boîtes de sardines. On a pris une douzaine de bouteilles d'eau. Des gens papotent dans la file. Pas d'électricité. Le caissier est concentré sur un petit cahier où il fait ses calculs. Derrière moi, une photographe survoltée annonce la mort de Georges et Mireille Anglade. Je les ai vus hier soir à l'hôtel, où ils assistaient à une réception privée. Toujours cette lueur malicieuse dans le regard de Georges. Grande chaleur dans sa manière d'ouvrir les bras pour vous accueillir. Mireille attend patiemment que Georges ait fini de vous broyer sur sa poitrine pour vous embrasser. Mireille est plus fine, plus nuancée, et pas moins chaleureuse. Ce sourire énigmatique. Anglade riait, comme toujours, en faisant sautiller chaque pouce de chair de son corps. Ces dernières années, il avait mis toute son énergie à promouvoir la *lodyans*, cette forme narrative si proche, affirme-t-il, de notre manière de voir le monde. Pour lui, les Haïtiens sont des conteurs-nés qui s'expriment aujourd'hui à l'écrit. Il avait relu dernièrement une bonne partie de notre production romanesque (« de l'Indépendance à nos jours » dans sa boulimie), pour découvrir que nos meilleurs écrivains étaient des conteurs nocturnes. Notre écriture tient sa source de cette oralité, de cette « oraliture », comme il aimait à dire. Comme toujours, Georges exagère, mais il le fait de bonne foi. Cet homme est doté d'une énergie entraînante. Il adore les interminables discussions autour d'un repas, avec des amis de longue date. Ce géographe a fait de la politique, mais je crois que sa vraie passion est la littérature. En fait, il est un incorrigible rêveur. Je ne l'imagine pas sans Mireille. Ils sont morts ensemble.

Le jeune homme au regard si triste

Debout, près du grillage du terrain de tennis, je vois arriver Chantal Guy, la journaliste du quotidien montréalais *La Presse*. Le photographe Ivanoh Demers, tout juste derrière elle. Ils sont donc vivants et ne se quittent plus. Quand j'étais couché dans la cour de l'hôtel, alors que tout se déglinguait autour de moi, c'est à Chantal Guy que je pensais. J'avais tellement insisté pour qu'elle vienne alors qu'elle ne cessait de tergiverser. C'est toujours difficile de convaincre quelqu'un de venir en Haïti. On vous dit d'abord oui, car c'est un pays qui fascine encore. Correspondance intense. Puis, silence. Les amis et les proches déconseillent. On consulte des sites sur Internet qui vous présentent un pays extrêmement dangereux. C'est la panique. Finalement, c'est non. Dans le cas de Chantal Guy, j'ai lourdement insisté, argumentant chacune de ses hésitations. C'était important, à mes yeux, que cette délégation d'écrivains québécois soit accompagnée d'une bonne journaliste. De plus, c'est une amie. Je vis au Québec depuis trente-quatre ans, je connais tout le monde dans le milieu littéraire, j'ai lu la plupart des écrivains en activité, j'estimais qu'il était temps que les écrivains québécois aillent voir comment vivent les Haïtiens chez eux. Ce n'est pas sain, je crois, de garder en son sein quelqu'un qui vous connaît autant, qui a arpenté les moindres recoins de votre vie, sans avoir aucune idée de son pays d'origine. Cela ne suffit pas de regarder des reportages à la télé pour connaître une culture. Si on veut se faire une idée juste des choses, surtout dans le cas d'un journaliste, il faut se rendre sur place. Pour humer la terre, toucher les arbres et rencontrer les gens dans leur environnement naturel. Ce n'est nullement un reproche. J'espérais un dialogue entre les écrivains du Québec et ceux d'Haïti – qui représentent les deux plus grandes populations francophones en Amérique. Chantal Guy a résisté, pour finalement dire oui. Et voilà que la terre tremble. J'ai donc pensé à elle au moment fatal. Surtout que j'ai entendu dire (tant de rumeurs ont circulé cette nuit-là) que l'hôtel Villa Créole où elle logeait était lourdement endommagé. La voilà qui arrive toutes voiles dehors comme une Vénus sortant des flammes. Le photographe Ivanoh Demers la talonne. Lui semble plutôt gêné. Port-au-Prince a été une révélation pour Chantal Guy. D'une fille qui avait peur de son ombre, elle est devenue une intrépide guerrière capable d'affronter les éléments déchaînés. Quant à Demers, les photos qu'il a prises ce jour-là ont fait de lui, durant une semaine au moins, le plus célèbre photographe de la planète. Ses photos ont été reprises dans les journaux du monde entier. Et son émouvante photo du jeune garçon qui tourne son regard vers nous, avec un mélange de douleur et de gravité, restera longtemps dans notre mémoire. La lumière douce qui éclaire son visage fait penser à la peinture flamande. Pourtant, le photographe semble déchiré entre cette soudaine célébrité et la ville détruite – l'un n'allant pas sans l'autre. Il n'a pas à se sentir mal. Sa photo du jeune garçon au regard si doux restera.

La culture

Subitement, la journaliste me demande ce que je pense de tout cela. Elle sort son calepin pour noter. Que vaut la culture face à la douleur ? Se poser la question dans un salon n'a pas la même résonance qu'ici. Je n'ai qu'à regarder autour de moi pour évaluer la situation. Pourtant les conversations sont animées, et j'entends parfois des rires. On cherche une sortie par tous les moyens. Ce qui fait croire que quand tout tombe autour de nous, il reste la culture. Mais ce qui sauve cette ville, ce sont les gens qui déambulent. C'est l'appétit de vivre de cette foule qui fait la vie dans les rues poussiéreuses. Je me réfère à la leçon des vieux peintres primitifs qui choisissent de montrer une nature foisonnante quand autour d'eux ce n'est que désolation.

Un homme en deuil

Il fume au coin de la rue, près des marchands d'art qui recommencent à exposer les tableaux sur les murs, au gré du vent, de la chaleur et de la poussière. Très élégant dans ce beau costume noir. Chapeau noir. Sans paraître concerné par tout ce remue-ménage qui se fait autour de lui. Il ne bouge pas, se contentant d'allumer une nouvelle cigarette. Certaines personnes parviennent à garder leur sang-froid en toute circonstance. Je m'approche de lui. Il m'offre tout de suite une cigarette. On cause de tout et de rien, en évitant le sujet de l'heure. Je finis par apprendre deux ou trois choses à son propos qui me font comprendre qu'il est loin d'être le dandy dont il a l'allure. Sa mère est morte au début de la semaine dernière et il n'a même pas été capable de contribuer aux funérailles. Ce sont ses sœurs (il a trois sœurs qui vivent à New York) qui ont tout payé, même son costume noir. Elles devaient repartir avant-hier, mais elles ont retardé leur départ afin de lui acheter un salon de coiffure qui était à vendre pas loin d'ici. Il est coiffeur, mais il n'a jamais gardé longtemps un travail. Ses sœurs ont pensé que ce serait mieux s'il était son propre patron. Ce n'est pas la première fois qu'elles tentent de le dépanner, mais c'est la première fois que cette situation de parasite le déprime au point qu'il a pensé au suicide la nuit dernière. Il s'allume une nouvelle cigarette (j'ai refusé son offre) et on arrive au séisme. Il était sur la place quand c'est arrivé. Il est rentré tout de suite pour trouver la maison complètement détruite, et ses sœurs mortes sous les décombres. Il regarde un trop long moment le bout rouge de sa cigarette. Cette douleur que j'ai croisée dans ses yeux rougis par le manque de sommeil est si intime qu'elle m'a fait comprendre que j'étais de trop. Je me suis éclipsé au moment où il aspirait une nouvelle bouffée.

La chambre

J'ai décidé de remonter dans ma chambre. La façade qui donne sur la cour est endommagée, mais l'hôtel n'est pas tombé. Des débris partout – on ne peut pas vraiment estimer les dégâts. Je prends l'escalier pour monter au deuxième. De là, je peux voir que le hall d'entrée a été rudement saccagé. Je poursuis mon aventure sans savoir ce qui m'attend. Jusque-là tout va bien, mais l'hôtel peut s'écrouler à tout moment. J'arrive devant ma chambre. La porte, fermée. Je sors ma carte électronique. Aucune chance que ça marche. Le tremblement de terre a dû saboter tout le système électrique. De plus, on a coupé le courant pour éviter un incendie. J'insère malgré tout la carte à puce. La petite lumière verte s'allume. J'entre. La chambre est intacte, à part la télé qui est par terre. Je repère ma valise. L'ordinateur qu'on m'avait prêté n'a pas bougé de la table de chevet. Mes deux dernières mangues m'attendent gentiment, à côté de l'ordinateur. Je prends tout ce que je peux emporter. J'imagine tous ceux qui font la même chose en ce moment, tentant de sauver les affaires auxquelles ils tiennent. Des choses qui peuvent paraître inutiles aux yeux des autres. Je ne dois pas rester trop longtemps dans cette chambre tout en étant conscient de l'importance de cette provocation. La mort en nous frôlant laisse en nous une frénésie qui nous pousse à défier les dieux. D'où l'envie irrésistible de me coucher sur le lit. Je me ravise au dernier moment sentant que je suis en train de faire une bêtise. Ce n'est peut-être pas fini. Une nouvelle secousse pourrait mettre l'hôtel par terre. Je ne sais plus depuis combien de temps je suis dans la chambre. Depuis hier, j'ai perdu la notion du temps. Je sais maintenant qu'une minute peut cacher en elle la vie d'une ville. Une densité nouvelle pour moi. J'ai finalement quitté la chambre en laissant la porte ouverte, sentant que la carte ne fonctionnera pas une deuxième fois.

Le moment

On était assis sous les arbres, quand quelqu'un est arrivé avec une bouteille de rhum qu'il a déposée au milieu de la table. Il y a des gens qui trouveraient de l'alcool même en enfer. Il a déniché cette bouteille dans un des placards du bar. Il paraît que ce n'était pas la dernière bouteille. La ruée vers l'or. C'est la seule chose qui pourrait combattre l'angoisse de la prochaine nuit. Je regarde, d'un œil morne, les maringouins se rassembler, sous ce lampadaire, avant de passer à l'attaque. Leur musique exaspérante bourdonne déjà à mes oreilles. On se passe la bouteille tout en buvant au goulot. C'est le moment d'essayer tout ce que l'éducation ou l'hygiène nous interdit de faire. La bonne chaleur du rhum. On voudrait bien faire quelque chose d'inusité car une pareille situation ne se reproduira plus. C'était plus acceptable hier soir qu'aujourd'hui, et demain ce sera déjà trop tard. On aura complètement repris nos esprits. Et nous ne serons plus entre nous. Tous ceux, en ce moment, qui sont dans cette ville sont morts, blessés ou sauvés par miracle. Dès demain ou ce soir même, les autres vont commencer à arriver (sont-ils déjà parmi nous ?) et nous ne pourrons plus évoquer la folie collective. De toute façon, ce n'est pas fini. La terre tressaille encore. Il suffit de deux ou trois points de plus dans l'échelle de Richter pour qu'on bascule de nouveau hors du temps. Je n'arrive pas à comprendre comment ça se fait qu'on ne tente pas quelque chose qui nous sorte du chemin tracé de la vie ordinaire ? Rien ne nous retient. Plus de prison, plus de cathédrale, plus de gouvernement, plus d'école, c'est vraiment le moment de tenter quelque chose. Ce moment ne reviendra pas. La révolution est possible, et je reste assis dans mon coin.

L'offrande aux dieux

On ouvre les boîtes de sardines. Je me rappelle que j'ai laissé du pain sur la table du restaurant. Saint-Eloi et moi, on part chercher ce pain. C'est la première fois qu'on revient sur les lieux. Rien n'a bougé. Le restaurant tout en bois est donc plus souple que s'il était en béton. La corbeille de pain encore à la même place. Cette impression de voler l'offrande aux dieux.

La seconde nuit

On s'installe pour la nuit. Chacun revient à l'endroit où il a dormi la veille. On a déjà pris nos marques. Un petit mouvement à l'entrée. Les gardiens arrivent avec des matelas, des draps et des oreillers. L'oreiller est un signe qu'on a atteint un haut degré de raffinement. La tête n'est pas au même niveau que le reste du corps. C'est un changement énorme par rapport à la nuit dernière. Une bonne nuit de sommeil nous rendra moins sensibles aux petites secousses. Il nous faut des nerfs solides. Ce n'est plus l'angoisse de la nuit dernière, alors que nous n'étions même pas sûrs de voir l'aube. On est plus exaspérés qu'angoissés. On souhaite simplement que la terre arrête de trembler. Je vois bouger un point rouge dans le jardin. C'est un homme en train de fumer.

L'emmerdeuse

Les tempéraments se révèlent assez rapidement dans ce périmètre restreint. Tous les principaux types de notre espèce sont ici représentés. J'imagine que c'est pareil dans chaque petit camp improvisé. On repère tout de suite : les mesquins, les jaloux, les généreux, les optimistes, les pessimistes, les aventuriers, les prudents, les silencieux et les emmerdeurs. J'ai une emmerdeuse dans mon coin. Elle ne parle que de ses problèmes. La plupart des gens ici ont peut-être des parents morts ou blessés, mais elle s'en fout. Elle sait que son mari est vivant, pourtant elle laisse planer un doute afin de rester au centre de l'attention. Elle se plaint de tout. Pour elle, les Haïtiens ont une part de responsabilité dans ce désastre. Pour s'attirer autant de malheurs on doit avoir commis quelque crime. Et ça n'arrête pas. Elle vient d'annoncer qu'il fait trop beau pour dormir. Elle a raison, car le ciel est magnifique et la terre toute chaude de tant de convulsions. Je préfère être attaqué par une armée de maringouins en furie que de l'avoir dans mon dos. Je vais installer mon matelas plus loin.

Un adolescent

Il est arrivé cet après-midi. Il s'est installé dans un coin sans bruit. Son pied lui fait mal. Maëtte, qui a l'habitude de recueillir les chiens sans collier, l'a tout de suite pris sous son aile. D'autant plus qu'il a perdu ses parents. Elle l'a soigné et l'a défendu quand un gardien a voulu qu'il quitte les lieux. La première nuit, c'était possible de garder des inconnus dans notre espace, car même les voleurs étaient sous le choc. Il y a toujours un risque à dormir en plein air. Le touriste possède deux choses qui attisent la convoitise : l'argent et un passeport valide. De plus, nos valises sont empilées le long de la clôture. Les hommes dorment à poings fermés. Ce sont les femmes qui veillent, attentives au moindre bruit. Elles relèvent la tête dès qu'une ombre passe dans le jardin. C'est souvent quelqu'un qui cherche un arbre pour pisser. Les femmes se sont aménagé un coin près du grillage pour les besoins primaires, de sorte qu'elles n'ont pas à quitter le périmètre de sécurité. Leur anxiété devient palpable dès que la noirceur commence à nous envelopper. Heureusement qu'il y a ces chants et ces prières pour les bercer durant la nuit.

La conversation du matin

J'ai passé un moment à observer cette grand-mère en train de chanter avec son petit-fils. Ils dormaient de l'autre côté du filet de tennis. On aurait dit qu'ils se trouvaient dans un autre quartier. Les chants m'ont ramené à mon enfance avec la vitesse d'un saumon qui remonte une rivière. Je les entends parler à voix basse pendant que je note sous le drap les pensées du matin qui m'assaillent par jets bondissants. Des rêveries qui n'ont rien à voir avec le séisme. Je comprends donc que mon esprit veut quitter cet espace dans lequel l'horreur le garde enfermé. Des rires étouffés. Je relève la tête. Ils sont encore à se parler à voix basse : la grand-mère et le petit-fils. Une complicité profonde unit ces deux êtres que le gouffre du temps sépare. Au fond, ils vivent dans le même univers fluide du rêve. Au début et à la fin de la vie, on dispose d'un temps dégraissé de ces responsabilités qui alourdissent le jour. C'est ce temps libre qui permet cette merveilleuse complicité entre l'enfance et la vieillesse. La grand-mère tente désespérément d'épargner à son petit-fils l'horreur du jour. Certaines personnes parviennent à danser ainsi sur les braises. On les traite d'insouciants ou d'irresponsables sans savoir que ce sont pourtant des êtres d'une force d'âme exceptionnelle. S'ils ont traversé cette époque sanglante avec une humeur égale, c'est qu'ils estiment qu'on n'a pas besoin d'ajouter son drame personnel au malheur collectif. Ma grand-mère m'avait arraché des griffes du dictateur en m'apprenant autre chose que la haine et l'esprit de vengeance. Cette grand-mère, pas loin de moi, est en train de substituer, dans la tête de son petit-fils, ces images horribles par des chansons et des mythologies qu'elle tire de sa mémoire vacillante.

Le premier bilan

Dès le matin, on se réunit pour un bilan de la situation. On ne peut plus continuer dans cette léthargie. Il faut faire quelque chose, mais quoi ? La ville vient de passer au shaker. On est encore étourdi. Et la planète a les yeux braqués sur Port-au-Prince. Ces images de destruction que la télé diffuse inlassablement absorbent l'énergie des gens partout dans le monde. Les radios qui ont repris timidement crachotent l'horreur. L'Internet fonctionne par intermittence – avec des fenêtres d'à peine dix minutes. Le téléphone ne marche pas toujours. On a l'impression que cela s'est passé il y a mille ans. Malgré tout nous n'avons pas encore assimilé la gravité de la situation. Même moi qui ai vu des morts, je continue à rêver. Je n'ai pas tout raconté à ceux qui étaient restés à l'hôtel. On lance des chiffres. C'est si abstrait : cent mille ou deux cent mille. On augmente ou on retranche dix mille morts, comme si chaque mort ne méritait pas une attention particulière. Tout cela, bien sûr, pour éviter de perdre la tête. Chacun fait tout pour ne pas être le premier à courir nu dans les rues. On évite de penser à la réalité, car c'est la réalité le problème.

La rumeur

Une rumeur circule que les pillages ont déjà commencé. Dans l'hôtel même. Panique. On a dévalisé, paraît-il, les coffres-forts des chambres. De petits groupes se forment, dans la cour et devant l'hôtel, pour commenter la situation. On pense à se défendre. On ne va pas rester là à attendre qu'on vienne nous égorger comme des cabris attachés à un pieu. Le ton commence à monter. Les gens sont épuisés. Je cours me renseigner auprès des gardiens de sécurité. Rien à signaler. Auprès des femmes de chambre. Elles n'ont rien vu de particulier. Quant aux propriétaires de l'hôtel, c'est la première fois qu'ils entendent parler de ça. En fait, les coffres-forts sont intacts. Voilà comment on tue une rumeur avant qu'elle ne se répande comme de l'huile sur une surface lisse.

Une ville calme

Finalement, on n'a pas eu ces scènes de débordement que certains journalistes (sûrement pas tous) ont appelées de leurs vœux. J'imagine les premières pages des quotidiens si les pillages s'étaient multipliés. Et les commentaires à la télé du premier venu sur un pays de barbares. Au lieu de cela, on a vu un peuple digne, dont les nerfs sont assez solides pour résister aux plus terribles privations. Quand on sait que les gens avaient faim bien avant le séisme, on se demande comment ils ont fait pour attendre si calmement l'arrivée des secours. De quoi se sont-ils nourris durant le mois qui a précédé la distribution de nourriture ? Et tous ces malades sans soins qui errent dans la ville ? Malgré tout, Port-au-Prince n'a pas perdu son sang-froid. On les a vus se mettre en rang pour recevoir les bouteilles d'eau distribuées dans les bidonvilles. Ces endroits, il y a quelques mois seulement, que l'on considérait encore comme des zones sensibles où l'Etat était incapable d'assurer la loi. Que s'était-il donc passé ? A quoi devait-on attribuer ce changement ? Etait-ce le choc que ce pays attendait pour se réveiller et arrêter sa chute vertigineuse ? Il faudra patienter encore un peu pour connaître le véritable impact d'un événement d'une pareille amplitude sur le destin du pays. Pour le moment, apprécions ce calme. Surtout quand on sait que des explosions d'un autre ordre (social cette fois) sont à venir.

Amos Oz

Juste avant mon départ pour Haïti, le 5 janvier, alors qu'on soupait ensemble à Montréal, Saint-Eloi m'a fait cadeau de ce livre d'Amos Oz : *Seule la mer*. Mon premier contact avec cet écrivain qui depuis longtemps m'attire. Comme il a apporté son exemplaire avec lui, on a sorti nos deux livres pour lire Oz à haute voix. Ma confiance dans la poésie est sans limite. Elle est seule capable de me consoler de l'horreur du monde. Saint-Eloi lit debout ; moi, assis sur une valise. Il a le sentiment que j'ai les mêmes obsessions qu'Amos Oz : le rapport à la mère, au village et à l'errance. Il me lit ce bref poème :

Je ne partage pas cette idée
dit sa mère.
L'errance sied
à ceux qui sont égarés.
Baise, mon fils, les pieds
de la femme Maria
dont le ventre, un instant
à moi t'a ramené.

Je sens une légère différence entre nous. Ma mère murmure plus qu'elle ne parle. C'est un chant intérieur. Tandis que la voix de la mère d'Amos Oz semble plus sûre. Elle ordonne même : « Baise, mon fils, les pieds de la femme Maria... » Ma mère ne connaît pas ce mode : l'impératif. La mère d'Amos Oz est tout en passion ; la mienne, tout en douceur.

La toilette

Saint-Eloi m'accompagne. On remplit, en passant, un saut avec l'eau de la piscine. La salle de bains est située au-dessous du restaurant. Personne, à part les employés de l'hôtel, ne s'était encore aventuré jusque-là. On a trouvé deux grandes serviettes blanches près de la piscine. On ne pénètre pas totalement au fond de peur de se retrouver piégés dans cet espace étroit si une nouvelle secousse survenait. On se frotte vigoureusement pour enlever toute trace de malheur. On s'essuie, tout en conversant, comme des sportifs après un match éprouvant. On met des habits propres. Et on sort. Sur le court de tennis, j'ouvre ma valise pour prendre un rasoir et du parfum. Les gens nous regardent faire, un peu étonnés au début, avant de commencer à bouger. Comme si on se réveillait d'un cauchemar. Michel Le Bris annonce qu'il va se faire un shampoing et accepte de se séparer pour la première fois de son ordinateur. Il revient, quelques minutes plus tard, complètement ragaillardi. Les femmes sortent leur rouge à lèvres. J'exhibe mes deux mangues comme des trophées de guerre. C'est vrai que j'ai eu l'impression, quand j'étais dans la chambre, de pénétrer en territoire ennemi. On me passe un canif. J'offre, à chacun, une fine tranche de mangue. Il aura fallu un tremblement de terre pour que j'accepte de partager une mangue.

La décision

Cette cérémonie à peine terminée, je vois arriver des gens derrière le grillage du terrain de tennis. Ce sont des officiels de l'ambassade du Canada qui ratissent les hôtels pour proposer un avion aux citoyens canadiens qui veulent rentrer. Il y a un départ vers 13 heures à partir de l'ambassade. Il faut vite prendre une décision. Saint-Eloi ne peut pas partir car il n'a pas encore la citoyenneté canadienne. Pas question de partir sans Saint-Eloi. Je demande aux gens d'attendre un moment. On se retire sous un arbre pour discuter de la chose. Partir ou rester ? Toujours le même dilemme. J'ai rejoint, après un moment, les gens de l'ambassade pour leur dire que je venais avec eux. J'ai appris à me décider rapidement. De la même manière qu'il fallait se décider très vite durant les premières secondes du séisme. On a dix secondes pour savoir si on reste là où on est ou si on va ailleurs. Cela fait une différence mais je ne suis pas encore tout à fait sûr d'avoir pris la bonne décision. Je balance entre mon cœur qui me dit de rester avec les gens, et mon esprit qui me dit que je serai plus utile là-bas pour ces mêmes gens. Finalement, je me dis que c'est peut-être la dernière fois qu'on me propose un rapatriement.

La guerre sémantique

A une question de cette journaliste de la télé canadienne que je croise sur le terrain d'aviation de Port-au-Prince, juste avant le décollage, j'ai senti qu'on venait d'ajouter un nouveau qualificatif à Haïti. Pendant longtemps, Haïti a été vu comme la première république noire indépendante du monde, et la deuxième en Amérique après les Etats-Unis. Cette indépendance ne nous pas été accordée entre deux martinis, des sourires hypocrites et des discours pompeux sur une pelouse couverte de confettis, elle a été conquise de haute lutte à la plus grande armée européenne, celle de Napoléon Bonaparte. Mon enfance fut bercée par des histoires d'esclaves qui n'avaient pour toute arme que leur désir de liberté et une bravoure insensée. Ma grand-mère me racontait, les soirs d'été, les exploits de nos héros qui devaient tout prendre à l'ennemi : les armes comme les techniques de combat. Même la langue française fut « un butin de guerre ». Et brusquement, vers la fin des années 1980, on a commencé à parler d'Haïti uniquement en termes de pauvreté et de corruption. Un pays n'est jamais corrompu, ce sont ses dirigeants qui peuvent l'être. Les trois quarts de la population qui, malgré une misère endémique, parviennent à garder leur dignité, ne devraient pas recevoir cette sale gifle. Quand on dit Haïti, ils se sentent concernés, et quand on l'insulte, ce sont encore eux, et non les riches, qui se sentent visés. Pays le plus pauvre, c'est sûrement vrai – les chiffres le disent. Mais cela efface-t-il l'histoire ? On nous accuse de trop la ressasser. Pas plus qu'aucun autre pays. Quand la télé française, par exemple, veut renflouer ses caisses, elle programme une série sur Napoléon. Que de films et de livres sur l'histoire de France, d'Angleterre ou encore sur la guerre du Vietnam, alors qu'il n'y a pas un seul film sur la plus grande guerre coloniale de tous les temps, celle qui a permis à des esclaves de devenir des citoyens par leur seule volonté. Et là, je vois poindre un nouveau label qui s'apprête à nous enterrer complètement : Haïti est un pays maudit. Il y a même des Haïtiens désemparés qui commencent à l'employer. Faut être vraiment désespéré pour accepter le mépris de l'autre sur soi. Ce terme ne peut être combattu que là où il a germé : dans l'opinion occidentale. Mon seul argument : Qu'a fait de mal ce pays pour mériter d'être maudit ? Je connais un pays qui a provoqué deux guerres mondiales en un siècle et proposé une solution finale et on ne dit pas qu'il est maudit. Je connais un pays insensible à la détresse humaine, qui n'arrête pas d'affamer la planète depuis ses puissants centres financiers et on ne le dit pas maudit. Au contraire, il se présente comme un peuple béni des dieux, plutôt de Dieu. Alors pourquoi Haïti serait-il maudit ? Je sais que certains l'emploient de bonne foi, ne trouvant d'autres termes pour qualifier cette cascade de malheurs. Ce n'est pas le bon mot, surtout quand on peut constater l'énergie et la dignité que ce peuple vient de déployer face à l'une des plus difficiles épreuves de notre temps. Mais chaque jour qui passe rend la tâche plus rude. Il suffit qu'une personne lance le mot « malédiction » sur les ondes pour qu'il se métastase comme un cancer. Avant qu'on se mette à parler de vaudou, de sauvagerie, de cannibalisme, de peuple de buveurs de sang, je me sens encore assez d'énergie pour contrer ça.

Nuit d'angoisse

Je suis arrivé à Montréal au milieu de la nuit. Ma femme n'a pas pu venir me cueillir à l'aéroport. Ce sont des gens que j'ai croisés sur place qui m'ont ramené à la maison. Elle semblait aussi épuisée que moi. Les derniers jours avaient dû être terribles pour elle. Pendant une nuit et un matin, elle m'avait perdu sur son radar. Du jamais vu. Elle n'en savait pas plus que les journalistes qui n'arrêtaient pas de téléphoner pour avoir de mes nouvelles. Elle n'avait aucune idée de ma situation à ce moment-là : si j'étais encore à l'hôtel ou ailleurs. Ou même mort. A 16 h 53, on peut être n'importe où. J'ai pourtant tenté plusieurs fois, durant la nuit, de la rejoindre. Cela sonnait, mais personne ne décrochait à l'autre bout. Elle me raconte que si elle sentait que c'était moi qui appelais, pourtant elle n'entendait rien. Une sorte de vide. Comme si l'appel venait d'un autre monde. Je suis effrayé d'entendre cela, sachant qu'elle n'est pas du tout superstitieuse. Sa seule obsession c'est de protéger sa vie privée. C'est rare que je parle d'elle, en public, plus de cinq minutes. Elle s'est retrouvée à gérer deux crises majeures en même temps. Ma disparition et les médias. Les journalistes ont été pour la plupart élégants, me dit-elle, même s'il y a eu un petit cafouillage à un moment donné. Elle n'arrivait pas à comprendre que le fait de ne pas savoir où j'étais, c'était aussi de l'information. Le journaliste lui demandait l'autorisation d'enregistrer sa déclaration. Elle s'obstinait à répondre qu'elle n'avait rien à dire puisqu'elle ne savait pas où j'étais. Finalement, le pauvre journaliste a compris qu'elle n'était pas au courant de ce système absurde qui fait de n'importe quoi une nouvelle. Puis, la nuit est venue. Pas le sommeil. Le téléphone, à côté, qui ne sonne pas. Elle ne parvient pas à se concentrer sur ses mots croisés. Déjà, elle doit trouver que je parle trop d'elle, et pas assez de ceux qui ont des morts. Mais en fait je ne parle que de l'angoisse qui se glisse dans les veines de tous ceux qui attendent un coup de téléphone. Je me rappelle les derniers vers du poème (« Nuit d'hôpital ») de Roussan Camille alors qu'il espérait l'aube sur un lit d'hôpital, à Port-au-Prince : « Notre-Dame des fièvres, grande dame des angoisses, ayez pitié des pensées qui s'affolent dans la nuit. »

Le petit écran

En Haïti, on n'avait pas assez de recul pour voir tout le paysage. On ne pouvait s'occuper que de ses voisins immédiats, tout en ignorant ce qui se passait dans les autres quartiers de la ville. La radio ne fonctionnait pas encore à plein régime. Il fallait trouver de l'eau, aider un blessé à se rendre à l'hôpital ou s'occuper d'un enfant dont les parents ne s'étaient pas encore manifestés. Chacun cherchait à savoir si tous les membres de sa famille étaient en vie. On n'ose plus demander de nouvelles des gens. C'est toujours un choc d'apprendre la mort d'un ami. Si en Haïti on vit tout cela en direct mais à un seul endroit à la fois (là où l'on se trouve), à l'étranger on a une vue panoramique de la ville. Le petit écran ne cligne jamais de l'œil. Un œil protéiforme fait de centaines de caméras qui montre tout. Tout est nu. A plat. La mort sans pudeur puisque la caméra ne fait, pour le moment, aucune distinction de classe ou de sexe. Depuis mon arrivée il y a quelques heures, je suis prostré dans mon lit et ne cesse de regarder défiler sous mes yeux ces images d'épouvante, ne pouvant croire que je viens tout juste de quitter ce paysage dévasté. Le pire n'est pas l'enfilade de malheurs, mais l'absence de nuances dans l'œil froid de la caméra. Le sommeil, en effleurant ma nuque, est venu m'avertir qu'il était temps de baisser la garde.

Un verre d'eau

Je me suis réveillé tout en sueur. Je sentais bouger la chambre. Les livres sur la petite table de chevet sont tombés sur le plancher entraînant avec eux le téléphone. Je suppose que je faisais un cauchemar et qu'en agitant les mains j'ai dû renverser le verre d'eau. Ce verre d'eau que je garde près de moi, car j'ai l'habitude de me lever au milieu de la nuit pour lire. Surtout de la poésie. Si ce banal dégât m'a autant atteint, c'est que je sais qu'on manque déjà d'eau en Haïti. Il faut la faire bouillir. Ce n'est pas facile d'allumer un feu quand les allumettes se font rares. Ce qui me fait penser aux fumeurs coincés dans une ville sans cigarettes et dont on dit que la compagnie Barbancourt qui fabrique le rhum local a connu d'importants dégâts. Je regarde le plancher mouillé sans parvenir à me sortir de la tête ces images de gens qui ont soif. D'ordinaire, je suis contre le fait de transposer des tourments d'un lieu à l'autre. Je crois qu'il vaut mieux garder son énergie pour aider les gens à résoudre les problèmes auxquels ils font face. Ce n'est pas parce qu'il manque d'eau à Port-au-Prince qu'on devrait en manquer à Montréal. Je me relève en plaçant l'oreiller derrière mon cou. J'allume la télé sans mettre le son. Les images défilent en silence. Un flot continu. Des femmes aux bras en croix. De longues files de gens marchant sans but. Cette jeune fille qui raconte une histoire que je n'ai pas besoin d'entendre pour comprendre ce qu'elle vit. Je m'assoupis encore en laissant la télé allumée. En l'éteignant j'aurais l'impression de fermer la porte au nez de tous ceux qui réclament notre attention. De toute façon, le téléphone, tout près de ma tête, reste en alerte.

Année zéro

J'allume la télé, tôt ce matin, pour tomber sur cet analyste politique qui croit qu'Haïti pourrait repartir d'un bon pied s'il consent à oublier tout ce qui a précédé le séisme. On évoque un moment la situation d'avant qui n'était pas bien reluisante. La scène est assez choquante en elle-même puisque l'analyste et le journaliste qui l'interviewe sont confortablement assis tandis que derrière eux (plein écran) on voit défiler les images de désolation. Il suffit de regarder ces scènes d'horreur (des bouches hurlant sans qu'on entende un son) pour acquiescer à tout ce qui se dit. Cette technique d'intimidation est si généralisée qu'on n'y voit rien d'anormal. En fait on nous présente un problème tout en nous empêchant de réfléchir. La réponse est derrière la question. Pour ramasser tout cela en un seul vocable supposément riche d'espoir, l'expert interviewé avance : « année zéro ». Zorro est arrivé. C'est la première fois que j'entends évoquer, à l'encontre d'Haïti, ce concept d'année zéro. Je n'arrive pas à avaler cette idée – et cela malgré ces images insupportables qui me déchirent la rétine. On devrait savoir, avec le temps, qu'on n'efface pas aussi facilement la mémoire d'un peuple. Dans le cas d'Haïti, l'histoire débute par un prodigieux bond d'Afrique en Amérique. Ce sont les gens animés d'un désir fou de vivre ensemble, et cela malgré les raisons nombreuses qui leur déconseillent de le faire, qui font les villes et non le contraire. Le séisme n'a pas détruit Port-au-Prince, car on ne pourra construire une nouvelle ville sans penser à l'ancienne. Le paysage humain compte. Et sa mémoire fera le lien entre l'ancien et le nouveau. On ne recommence rien. C'est impossible d'ailleurs. On continue. Il y a des choses qu'on ne pourra jamais éliminer d'un parcours : la sueur humaine. Que fait-on de ces deux siècles, et de tout ce qu'ils contiennent, qui ont précédé l'année zéro ? Les jette-t-on à la poubelle ? Une culture qui ne tient compte que des vivants est en danger de mort.

—

Ma mère au téléphone

J'ai eu enfin ma mère au téléphone. Sa voix est claire, avec une trace d'inquiétude tout de même. Elle est heureuse de m'entendre. La veille de mon départ, pensant que j'allais repasser, elle m'avait préparé à manger, ce qui me fait un petit pincement au cœur. La conversation dérive, comme à chaque fois, sur sa santé qui me préoccupe. Elle me raconte, pour me rassurer, qu'elle a retrouvé son appétit. Je la vois picorant, comme un oiseau, quelques grains de riz. Mon doute lui parvient. Cette femme est capable de repérer mes états d'âme même à distance. Elle me passe ma sœur qui confirme qu'elle mange mieux ces jours-ci. Que mange-t-elle ? Surtout les sucreries que tu lui envoies, me fait-elle avec un zeste de reproche. Ma sœur et moi, on a des opinions opposées sur ce sujet. Elle voudrait que ma mère mange du solide : du riz, des haricots en sauce, du poulet. Ce que ma mère refuse, car elle n'a goût que pour le sucré. Dans le salé elle ne tolère que le spaghetti et le beurre d'arachides. Elle fait presque une allergie au riz et aux haricots rouges qu'elle consomme quotidiennement depuis plus de quatre-vingts ans. Ça me fait du bien de discuter avec ma sœur de tous ces petits faits de la vie quotidienne – c'est par ces détails qu'on sait que la vie revient. Après un silence (son silence m'angoisse à chaque fois), elle me passe mon neveu qui me fait une description minutieuse des derniers événements depuis le séisme. Comme il va partout, c'est par lui que je me tiens informé. Il me raconte la mésaventure de Filo qu'il trouve assez drôle. Il y a, paraît-il, un passage derrière le grand rideau noir que j'ai vu dans le studio. Filo s'est faufilé là et a pu sortir, à quatre pattes, avant l'effondrement du bâtiment. Ses dieux ne l'ont pas laissé tomber (il porte toujours sur lui une image de la déesse Erzulie). Ma mère est revenue au téléphone mais la communication a été coupée juste au moment où elle commençait à me parler de tante Renée. Ma mère semble dans une forme splendide. Elle ne m'a rien fait répéter. Son ouïe est très bonne. Il y a des gens qui retrouvent leur énergie quand tout s'écroule autour d'eux.

Plus de lieu

J'ai tenté vainement de regarder la télé en évitant de tomber sur des images de Port-au-Prince

– on commence à peine à savoir pour les villes de province. J'ai l'impression que tout le monde puise dans la même banque d'images. En deux heures, j'ai vu une douzaine de fois le visage fermé de cette petite fille debout dans la foule. Ce jeune garçon qui vient de sortir d'un trou a l'air d'avoir avalé une ampoule électrique tant il est lumineux. Son sourire radieux en fait une vedette instantanée. Ce reporter américain qui fait son reportage avec un bébé dans les bras. Ce sont des images si puissantes qu'elles cachent le reste. Comment font-ils ce choix ? Ces images sont-elles naturellement accrocheuses ou est-ce la répétition qui nous les rend familières ? Je sens qu'on est en train de nous confectionner une mémoire. Ce sont souvent les dernières qu'on voit avant de s'endormir. Ce choix d'images s'est-il fait par hasard ou ces réalisateurs savent-ils d'expérience ce qui touchera le public. Tout cela dans la fluidité du moment. Je tente de voir autre chose. Comme cette femme qui passe dans la foule. Sa démarche sans nervosité ne donne aucune indication à propos de sa destination. Elle semble là. En réalité les gens ne pressent plus le pas parce qu'ils n'ont plus de maison pour la plupart. N'ayant plus de lieu décent où vivre, ils habitent le moment.

Dix secondes

Elle est venue s'asseoir près de moi, sur un divan jaune. Menue et raffinée, elle a pris mille précautions pour aborder le sujet. Elle voulait savoir s'il y a eu un moment où j'ai perdu la tête, sachant la mort possible. Ce n'est pas une question qu'on prend à la légère. J'ai mis du temps à y répondre. Je crois que ce qui m'a aidé, lui répondis-je, c'est qu'on formait un groupe. On était trois. On se soutenait. Je ne sais pas comment je me serais comporté si le séisme m'avait surpris dans ma chambre. Si la question avait été : Avez-vous eu peur ? j'aurais répondu oui, mais pas au début. La première violente secousse m'a pris complètement au dépourvu. Pas eu le temps de penser. J'ai eu peur à la seconde secousse, presque aussi forte que la première. Elle est arrivée juste au moment où je retrouvais mon esprit. Juste à l'instant où je pensais m'être tiré d'affaire, je reçus cette seconde secousse comme un coup derrière la tête. J'ai compris alors que ce n'était pas du théâtre. Que les acteurs n'allaient pas se relever pour les applaudissements. Qu'il n'y avait pas de public. Personne n'est à l'abri. Pendant dix secondes, j'ai attendu la mort. Me demandant quelle forme elle prendrait. La terre allait-elle s'ouvrir pour nous engloutir tous ? Les arbres nous tomber dessus ? Le feu nous brûler ? A ce moment-là, je savais que je ne pourrais plus garder cette distance. De toute façon, je ne faisais pas le poids. Si ce séisme pouvait à ce point secouer une ville, ce n'est pas un individu qui pourrait lui résister. On s'accroche alors à nos croyances les plus archaïques. On pense aux dieux de la terre. J'ai attendu un long moment. Rien. Je me suis relevé tout doucement, sans faire le fiérot. Je sentais à ce moment-là que le pire était passé. Mais pendant dix secondes, ces terribles dix secondes, j'ai perdu ce que j'avais si péniblement accumulé tout au long de ma vie. Le vernis de civilisation qu'on m'a inculqué est parti en poussière – comme cette ville où j'étais. Tout cela a duré dix secondes. Est-ce le poids réel de la civilisation ? Pendant ces dix secondes, j'étais un arbre, une pierre, un nuage ou le séisme lui-même. Ce qui est sûr, c'est que je n'étais plus le produit d'une culture. J'avais la nette sensation de faire partie du cosmos. Les plus précieuses secondes de ma vie. En réalité je ne sais même pas s'il y avait cet écart de dix secondes, même si je suis sûr d'avoir vécu ces émotions. Si on a tous partagé le même événement, on ne l'a pas vécu de la même manière.

On n'a qu'à allumer la télé pour sentir leur présence. Ils sont les premiers bénévoles à trouver une place dans un avion. Ils n'opinent pas, ils agissent. Je les regarde descendre de l'avion pour se diriger tout de suite dans la bonne file. Ils savent où aller. Cette situation c'est du pain bénit pour eux. Ils viennent pour la plupart des Etats-Unis (adventistes, baptistes). C'est le créole que leurs dirigeants ont appris dans les universités américaines qui leur a permis de se répandre si rapidement dans le pays. Pendant longtemps, l'église catholique s'est associée aux élites politiques, culturelles et économiques tandis que les protestants en ont profité pour s'infiltrer dans la population. Ce sont les protestants qui ont repris de manière vigoureuse la guerre contre le vaudou que l'Eglise catholique avait pourtant commencée en lançant, dans les années 1940, la fameuse campagne antisuperstitieuse. Depuis quelques décennies, l'Eglise catholique a compris que, pour survivre, il lui fallait séduire la clientèle populaire. Et depuis, on n'arrive plus à distinguer les catholiques des protestants tant ces deux loups se ressemblent dans leur approche du troupeau. S'ajoutent à cela les organismes humanitaires dont les membres agissent comme des curés de gauche. Ils se veulent un cran plus pratiques, plus directs, plus larmoyants. En réalité, il n'y a aucune différence. Les vaudouisants, qu'on avait toujours considérés comme archaïques, tentent depuis un certain temps de se moderniser. Ils utilisent l'Internet, le portable, et veulent leur part de marché en faisant tinter la clochette du nationalisme. Ce n'est pas d'opium que manque ce peuple. Quand il aura assez à manger, voudra-t-il autant fumer ?

Un pas incertain

Je panique à l'idée d'avoir absorbé une dose d'anxiété si forte qu'elle pourrait s'incruster dans ma chair. J'ai vu juste, car plus d'un mois après le séisme mon corps reste sensible à la moindre vibration du sol. Cette information s'est-elle logée dans mon esprit ou dans mon corps ? J'aimerais savoir ce qui déclenche la panique chez moi. Ma tête ou mon corps ? L'autre soir, je soupais chez des amis quand j'ai senti quelque chose. Des vibrations légères d'abord, puis de plus en plus intenses. Stupeur. Les autres continuaient la conversation. J'étais déjà vidé de mon sang quand j'ai compris que c'était mon voisin qui n'arrêtait pas de cogner son genou contre le pied de la table – un tic nerveux. Il m'est arrivé d'être au quinzième étage d'un immeuble du centre-ville et d'avoir la nette sensation que tout allait s'effondrer en quelques secondes. Simplement parce qu'en regardant par la fenêtre j'ai cru voir l'immeuble en face bouger. Plus l'endroit où je suis paraît solide, moins je me sens en confiance. Là, en ce moment même, tandis que j'écris ces lignes, la chaise vient de bouger. Et ma raison s'est enfuie de mon corps me laissant seul avec cette panique. Que dire alors de ceux pour qui le cauchemar continue toujours. Je parle de tous ceux qui n'ont pas les moyens pour quitter l'île. Je n'ose même pas penser à ce qu'on ressent quand on doit continuer à fouler un sol qui s'est déjà dérobé sous vos pas.

L'instant pivotal

C'est un événement dont les répercussions seront aussi importantes que celles de l'indépendance d'Haïti, le 1er janvier 1804. Au moment de l'indépendance, le monde occidental s'est détourné de cette nouvelle république qui a dû savourer seule son triomphe. Tel était le destin de ce peuple qui venait de sortir du long tunnel noir et gluant de l'esclavage. L'Occident a toujours refusé de reconnaître cette arrivée au monde. L'Europe comme l'Amérique lui ont tourné le dos. Et fous de solitude, ces nouveaux libres se sont entre-déchirés comme des bêtes. Et depuis, l'Occident donne Haïti en exemple à tous ceux qui voudraient un jour se libérer de l'esclavage sans sa permission. Une punition qui a duré plus de deux siècles. Tu seras libre, mais seul. Rien n'est pire qu'être seul sur une île. Et voilà qu'aujourd'hui tous les regards se fixent sur Haïti. On dirait une immense porte qui tourne lentement sur ses gonds de lumière et de ténèbres. L'instant pivotal. Durant les deux dernières semaines de janvier 2010, Haïti a plus été vu que pendant les deux derniers siècles. Ce n'était pas à cause d'un coup d'Etat, ni d'une de ces sanglantes histoires où vaudou et cannibalisme s'entremêlent – c'était un séisme. Un événement sur lequel on n'avait aucune prise. Pour une fois, notre malheur ne fut pas exotique. Ce qui nous arrive pourrait arriver partout.

L'appétit d'aider

C'est dans les rues de Montréal que j'ai pu évaluer l'immense émotion qu'a provoquée le malheur d'Haïti. Les gens semblent touchés au plus profond d'eux-mêmes. On dirait que la ville ne vibre que pour Haïti. Je rentre à la maison pour découvrir à la télé tous ces visages inconsolables (toujours en gros plan). Des infirmières qui se bousculent pour aller soigner les blessés, des enfants qui ramassent de l'argent par tous les moyens (en vendant des dessins ou en organisant de petits spectacles) qu'ils remettent à des organismes humanitaires, des musiciens amateurs et professionnels qui expédient la recette totale de leurs spectacles à des orphelinats, des rockers de banlieue avec leur coupe iroquois qui portent des t-shirts avec imprimé dessus I love Haïti, des journalistes qui veulent adopter les enfants qu'ils prennent dans leurs bras pour les besoins d'un reportage, des concerts géants comme au temps du « We are the world » qui rapportent des dizaines de millions de dollars en une nuit, des vedettes d'Hollywood qui vendent leurs robes de gala pour pouvoir envoyer de la nourriture, des stars qui utilisent leurs avions personnels pour le transport des médicaments, des médecins qui opèrent jusqu'à épuisement, sans compter la foule anonyme qui veut agir avec pudeur et discrétion. Mais où va toute cette énergie ? Où va tout cet argent ? On veut tellement aider qu'on ne cherche pas à savoir. La tristesse sur leurs visages alterne avec la volonté de faire vraiment quelque chose. Et de le faire personnellement. Haïti vient d'entrer avec un tel fracas dans leur intimité.

Retour

Ma sœur m'annonce la mort de tante Renée. J'achète un billet d'avion pour le lendemain. Je passe du virtuel au réel. De la télé qui m'assomme à une réalité où je m'embourbe. Un petit serrement de cœur au moment de l'atterrissage. Beaucoup d'avions américains sur la piste. On dirait un pays occupé. Je vois par le hublot des tentes bleues un peu partout. Les gens refusent de dormir dans les maisons qui sont peut-être fissurées. S'ils dorment à l'intérieur ils gardent les portes ouvertes, avec leurs effets personnels à portée de main. Ils se tiennent prêts à courir à la moindre alerte. La hantise d'être surpris, par une forte secousse, dans leur sommeil, les rend aussi nerveux qu'un sprinter à la veille d'une course importante. Ce serait trop simple s'il s'agissait de sauver sa propre vie : il y a aussi les enfants, les infirmes et les vieux. Je les retrouve avec des yeux rougis par le manque de sommeil. Je m'attendais tout de même à ce qu'ils soient plus impatients. Au contraire, je me retrouve dans une ville plutôt calme.

Le dernier médecin

J'observe ma mère en train de replacer les ustensiles sur les étagères. Les nappes dans les tiroirs. Et les corbeilles, en plastique rose et bleu, bien alignées sur le comptoir. Elle tient mordicus à effectuer ces petites besognes alors qu'elle a cette blessure à la jambe droite qui refuse de guérir. Son médecin étant mort durant le séisme, il lui en faut vite un nouveau. Ce n'est pas facile, car tout le monde veut un rendez-vous médical. On peut comprendre que la priorité est donnée aux blessés du séisme, et d'abord à ceux qui sont en danger de mort. On a coupé le mois dernier tant de jambes et de bras, qui auraient pu être traités dans d'autres situations, que les gens ont peur de cette médecine de brousse où tout se fait dans l'urgence. Comme il manquait, au début, de médicaments et surtout d'antibiotiques, les médecins craignaient la gangrène comme la peste. Une bonne partie des médecins haïtiens deviennent indisponibles parce que réclamés dans leur propre famille. Et à ce groupe il faut ajouter ceux qui sont morts ou blessés. Alors quoi faire sinon se tourner vers Jésus, l'unique médecin, comme dit ma mère, dont la clinique reste ouverte jour et nuit. On s'étonne que les Haïtiens ne maudissent pas Dieu pour ce flot de malheurs. Sont-ils trop faibles ou trop résignés pour avoir l'énergie de montrer le poing au ciel ? Ils le font parfois, à leur manière. Ma sœur me raconte qu'une de ses amies, qui l'accompagnait à la messe chaque matin, n'y va plus depuis le 12 janvier. « Et pourquoi donc ? » lui a demandé ma sœur. « C'est à Jésus de me visiter vu que c'est lui qui a quelque chose à se faire pardonner. » Ce qui a fait rire tout le monde, sauf ma mère.

L'énergie des choses

Dans cette ville on sort tout dehors chaque jour. Comme chaque maison est aussi une boutique on sort, tous les matins, les marchandises qu'on étale sur le trottoir. Et le soir, on rentre tout. On rentre même les comptoirs sur lesquels on avait disposé ces marchandises. C'est assez étonnant de découvrir qu'on puisse caser tant de choses dans ces minuscules maisons. Et ces rues vides où on ne croise, la nuit, que de grands chiens maigres.

Un univers féminin

Tante Renée n'est morte qu'après quatre arrêts cardiaques. Cette femme d'apparence si frêle est en fait très résistante. Elle s'est battue jusqu'au bout. Elle a toujours fait ses exercices jusqu'à ce que ce ne fût plus possible. Et rien de ce qui se passait dans la maison n'échappait à son radar. Souvent l'après-midi, elle se retrouvait sur la galerie avec ma mère. Et ma mère qui semble plus fragile que d'habitude. Ces dernières années, j'ai perdu trois de mes quatre tantes. Il ne reste plus que la benjamine, tante Ninine, et l'aînée, ma mère. J'ai dit à tante Ninine qu'il se prépare un duel entre elle et ma mère, c'est-à-dire entre la plus jeune et la plus âgée. Cette plaisanterie a fortement assombri tante Ninine. De toutes mes tantes, c'était tante Renée la plus secrète.

Le coupable

Ma sœur, ma mère et moi, on a dormi sur la galerie. Il y a un mois, elles dormaient, sur des matelas, dans la cour. On soupçonne que c'est ce qui a achevé tante Renée. Et aussi le manque de soins. Déjà avant le séisme, on manquait de médicaments. Il fallait arriver à l'hôpital avec ses propres médicaments. Dans ce pays, on ne va à l'hôpital que quand la douleur devient insoutenable. Autrement, on ne s'estime pas malade. Vaut mieux ne pas être malade si on ne peut pas s'acheter de médicaments. Ainsi on passe de la santé à la mort. La maladie est un luxe qu'on ne peut se permettre sans moyens. Alors on meurt sans avoir été malade. De mort subite. Comme une pareille mort n'a pas d'explication scientifique, elle devient mystérieuse. Enfin, on tient un coupable : le séisme. A son compte, il faut ajouter, en plus de ceux qui sont restés sous les décombres, tous ceux qui sont morts par manque de soins médicaux. De plus les mois suivant le séisme furent si durs que les gens sont morts de faim ou de froid. Les nuits n'étant pas toujours assez chaudes pour de si frêles constitutions. Comme tante Renée.

Sur la galerie

Hier soir, ma mère avait le visage noir de tristesse. Son pied avait encore enflé. J'ai posé ses jambes sur une pile d'oreillers avant d'aller m'asseoir sur le petit lit de tante Renée. Ma mère ferme les yeux. Elle n'a pas peur de souffrir, ce qui l'effraie c'est de rester immobile. Elle n'est jamais restée sans rien faire. Comme je le fais à chaque fois, j'ai glissé cent gourdes sous l'oreiller de tante Renée. Ma mère a ouvert les yeux au même moment, m'a vu et a souri. La dernière fois que j'étais dans cette chambre avec tante Renée, mon neveu était venu la chercher pour le bain. Elle se tenait légère et souriante dans ses bras. Tante Renée si pudique n'avait plus peur d'être vue nue. J'entends des voix. Des cousines sont arrivées pour discuter des funérailles. On s'installe sur la galerie. Faut-il une messe en créole, français ou latin ? Ma mère est venue nous retrouver. Une de mes cousines tenait absolument au latin parce que c'est plus prestigieux. Mais la chorale est vite écartée parce que trop chère. On convient qu'une soliste ferait l'affaire. Il y a cette femme qui chante très bien mais elle est hors de prix. Une de mes cousines est allée à l'école avec sa jeune sœur. On a vite laissé tomber car depuis qu'elle est devenue une vedette, la télé l'accompagne partout où elle va. C'est impossible d'imaginer la télé aux funérailles de tante Renée. Elle qui a évité sa vie durant tout bruit. Ma sœur trouve pénible de discuter de tous ces détails quand il y a encore des gens qui cherchent leurs parents sous les décombres. Une de mes cousines fait remarquer que ce n'est pas le tremblement de terre qui a tué tante Renée, et qu'il ne faut pas mélanger les choses. Ma mère, qui gardait les yeux fermés, s'est mise à dire tout bas la prière préférée de tante Renée : « L'ange de l'Eternel campe autour de ceux qui le craignent et les arrache au danger. » Je me souviens de l'intensité avec laquelle tante Renée disait « et les arrache au danger ».

Un jeune Christ

Un grand portrait du Christ sur la galerie. Il se trouvait dans l'école de mon beau-frère effondrée lors du séisme. Pendant qu'il transportait ce qu'il a pu récupérer dans un camion, le portrait est tombé dans la rue. Quelqu'un l'a amené chez lui. Un passant a signalé le fait à mon beau-frère tout en lui indiquant la maison du type. Il a fallu parlementer longuement pour le récupérer. Ma mère a toujours aimé ce portrait de Jésus avec ce regard clair et une petite bouche rose. Des cheveux qui tombent, en boucles, sur ses épaules. La barbe soignée – étrangement fendue. L'index de la main droite effleure un cœur tout en flammes ceinturé par une couronne d'épines. Tout ça sur un fond de lumière apaisante. C'est dans sa direction que regarde ma mère dès qu'elle s'assoit sur la galerie.

Le prophète du coin de la rue

On se réveille presque tous ensemble à Port-au-Prince, à cause de ce soleil si matinal. Je vais me brosser les dents dans la cour. L'odeur du café qu'un petit vent m'apporte. Ma sœur veut aller faire des emplettes. Je l'accompagne. Les gens se saluent toujours autant qu'avant, et cela malgré les difficultés de la vie quotidienne. Ils dorment à côté de leur maison. Je vois des tentes partout. Un groupe de jeunes étudiants en train de bavarder sous un arbre. Les autres se dépêchent d'aller au travail. Ce camp sur ma gauche se trouve sur un terrain de foot. Des adultes, déjà en sueur, en sortent en tenant par la main des enfants sanglés dans des uniformes colorés. Bien coiffés, chaussettes blanches et chaussures vernies. Deux hommes s'apprêtent à traverser la rue avec un matelas sur la tête. Ma sœur freine pour les laisser passer. C'est nouveau, je fais remarquer à ma sœur, on ne donnait jamais la priorité aux piétons ici. Ma sœur sourit. Feu rouge. Un homme, à côté de la voiture, hurle qu'on n'a encore rien vu, car la fin des temps est proche. Il faut être aveugle pour ne pas voir les signes, continue-t-il. Un passant lui demande sur un ton ironique, ce que sera la prochaine étape. On aura un tsunami, fait-il gravement. Mais entre-temps, ajoute-t-il, on va avoir un nouveau tremblement de terre deux fois plus fort et trois fois plus long que le précédent et qui mettra tout à terre pour permettre au tsunami d'effacer toute trace de notre passage ici. Cette terre ne nous appartient pas. Nous sommes des locataires. Le propriétaire vit à l'étage, fait-il en pointant le ciel. Et il est déçu de notre comportement. Au lieu de le remercier, nous passons notre temps à forniquer et à médire. On ne paie pas de loyer, et tout ce qu'il demande c'est de le reconnaître comme étant notre Seigneur et notre Dieu. Au lieu de cela nous adorons le Veau d'or. Quelques personnes se sont arrêtées pour l'écouter, surtout des femmes. Feu vert. La voiture démarre laissant le prophète gesticulant sous le lampadaire.

La star est en ville

On roule toujours sur Delmas. Ma sœur me montre ce cybercafé où on a trouvé des internautes raides morts devant leur écran. Et pas loin de là, on a découvert une jeune fille tranquillement assise, comme si elle attendait quelqu'un, sauf qu'elle était transpercée par une barre de fer. J'observe, du coin de l'œil, ma sœur qui fait tout pour paraître détendue. Ses paupières battent très vite et elle se masse souvent les tempes. Je me demande combien de temps elle pourrait tenir ainsi. Au retour, elle s'est arrêtée pour acheter de l'eau. Je profite pour prendre un journal. J'apprends en première page (photos à l'appui) l'arrivée de quelques vedettes hollywoodiennes. Je ne sais pas comment on se sent en débarquant, entouré de caméras, dans un pareil décor. Ils le font pour aider. Le but c'est d'attirer l'attention d'un nouveau public sur Haïti. On a fait le plein de ceux qui ont une accointance avec le tiers-monde ou qui s'émeuvent face à la douleur des autres. Là, il faut toucher ceux qui lisent les magazines à potins racontant les peines de cœur des stars. Ceux qui en ont assez de voir des misérables à la télé. On leur montre alors des stars de la politique et du cinéma. Mais ce qui inquiète ma sœur c'est cet entrefilet qui prédit qu'on manquera de gazoline à cause de cette grève au Venezuela, notre seul fournisseur. La République dominicaine est prête à prendre le relais, mais combien de temps pourra-t-elle tenir ? Plus loin dans l'article, on annonce que les prix vont flamber. Ma sœur veut rentrer pour garer la voiture.

La maison d'en face

Je suis assis sur la galerie. Ma mère m'a glissé un oreiller derrière le cou – tout en me faisant une légère caresse. Je fais une petite sieste. Les enfants jouent au foot à côté. Des éclats de rire. Les voix aiguës des marchandes de rue. Et ce cri joyeux quand on marque un but. La grande maison d'en face qui nous barrait le paysage est tombée. On a retiré la propriétaire sous l'escalier. Son fils a participé aux recherches. Elle a passé sa vie à travailler durement à New York pour pouvoir construire cette maison. Elle arrivait chaque année en décembre et ajoutait une chambre avant de retourner au boulot en mai. Assise sur la galerie, ma mère a suivi les travaux au fil des ans. C'est étonnant que cette maison qui a suscité l'envie des gens du quartier soit la seule qui n'ait pas tenu. On peut voir aujourd'hui les montagnes qu'elle cachait. On discute à longueur de journée dans le voisinage pour savoir pourquoi certaines maisons sont restées debout tandis que d'autres, juste à côté, sont tombées. On croit que Goudougoudou (le nom que les gens des quartiers populaires ont donné au tremblement de terre affirmant que c'est ce son qu'ils ont entendu à ce moment-là) a agi intentionnellement. On en a fait un nouveau dieu. Pas dans le sens d'un dieu qui punit. Simplement pour lui donner une identité. Comme on fait avec les cyclones.

Les funérailles de tante Renée

On était prêts assez tôt car étant la famille, il fallait être à l'église avant tout le monde. Ma mère, bien habillée, avec un petit sourire m'inquiète au lieu de me rassurer comme elle tentait de le faire. Je l'aide à monter dans la voiture. Elle me donne une tape à l'épaule pour me remercier, ce qu'elle ne fait jamais. Ma sœur a essayé vainement de la faire manger avant de partir à l'église, car tout de suite après les funérailles on ira enterrer tante Renée dans le cimetière de Petit-Goâve où elle retrouvera ses sœurs et son frère. Ma mère avait pris la décision de n'en faire qu'à sa tête aujourd'hui. Elle voulait passer cette journée avec sa sœur. En la regardant, si sereine, je sens qu'elle l'avait déjà retrouvée quelque part dans leur jeunesse. Ma mère se tenait droit dans l'église. Ce regard déterminé que je n'avais pas vu depuis un moment. Au lieu de l'abattre, comme je m'y attendais (à la mort de tante Raymonde, elle a tellement nié le fait que j'ai pensé qu'elle avait perdu la tête), la mort de tante Renée a eu sur elle un effet contraire. Faut dire que le célébrant a su la rassurer – c'était le confesseur de tante Renée. Durant les derniers mois, il venait à la maison lui donner la communion, le dimanche matin après la dernière messe. Il est de Petit-Goâve aussi, ce qui fait qu'il nous accompagnera là-bas. Je remarque des parents que j'avais crus morts. Ils nous donnent des nouvelles de la famille étendue. On a perdu quelques membres durant le séisme, des gens que je ne connaissais pas. L'église est comble. Je m'étonne alors que tante Renée qui n'est jamais sortie de chez elle, et qui a été grabataire durant les vingt dernières années de sa vie, ait pu connaître tant de gens. On me répond que ce sont des gens qui ont perdu des parents durant le tremblement de terre. Ils assistent aux funérailles d'inconnus afin de rendre hommage à leurs défunts. La messe terminée, les gens viennent nous présenter leurs condoléances. Au fond on pourrait leur répondre la même chose. On a tous perdu quelqu'un. Ma mère a tenu le coup. Droite, elle regarde devant elle. Je n'ose pas la toucher de peur que son échafaudage ne s'effondre. Ma sœur est allée chercher la voiture pour venir nous cueillir devant l'église. On a mis cap sur Petit-Goâve. Des camps de fortune des deux côtés de la route. Je n'ose pas imaginer ce qui se passe quand il pleut. Il y a des zones qui n'ont pas été touchées. Même là les gens n'ont pas l'air d'aller mieux. En tombant Port-au-Prince entraîne le reste du pays avec lui. Voilà le morne Tapion. Petit-Goâve est juste de l'autre côté. On est très en retard. Les autres nous attendent depuis un moment dans le petit cimetière, près de l'ancienne distillerie de mon grand-père.

La mélancolie de tante Renée

J'avais remarqué, dans mon enfance, que l'une de mes tantes se tenait toujours à l'écart. Ce qui était assez frappant dans une maison si gorgée de rires. Elle pouvait rester des heures sans que son visage ne reflète aucune émotion. On parlait de cette migraine qui lui faisait un air pensif. On ne lui connaissait pas d'amoureux. Sa vie se résumait à son travail de bibliothécaire en face de la mairie et sa place sur la galerie où elle passait son temps à lire. Les hommes l'évitaient soigneusement. C'est par elle que j'ai compris tout l'aspect subversif d'une femme en train de lire dans une petite ville de province. Comment la déranger pendant qu'elle conversait avec Stefan Zweig, son écrivain préféré. Elle lisait ses romans sans chercher à partager avec quiconque des émotions qui, visiblement la bouleversaient. Il m'arrivait de l'entendre soupirer, mais c'est tout. Si Zweig est un peu précieux il n'est pas forcément mondain.

Ses tristes monologues intérieurs et ses ambiances délétères créent, chez la lectrice passionnée qu'était tante Renée, un état de dépendance totale. Je me demande encore si c'est la prose toxique de Zweig qui a fait de ma tante un être mélancolique ou si c'est sa mélancolie qui l'a conduite à Zweig. Mais d'où vient que dans une famille si prompte à la fête se retrouve parfois un être si triste ? Je dois confier ici que sans être triste moi-même la tristesse m'a toujours intrigué. Ce qui m'avait frappé c'était le respect qu'on lui accordait. Comme si sa délicatesse naturelle répandait sur notre petite ville une sorte de grâce. Sa vie pourtant se déroulait suivant un rituel rigide. Elle se rendait le matin à la bibliothèque et revenait l'après-midi à la maison. Je me souviens de ses ombrelles colorées, sa seule fantaisie d'ailleurs, qui la protégeait du soleil implacable de 16 heures de l'après-midi quand elle se rendait à la pharmacie du docteur Cayemite pour ses médicaments. Les gens me donnaient l'impression de la protéger de toute la vulgarité que charrie la vie quotidienne. Comme si tante Renée représentait cette noble part d'eux dont ils pouvaient être fiers. En l'observant j'avais compris que la douleur dans sa constance avait structuré profondément sa personnalité. La respiration à la fois légère et haletante qui lui faisait cette démarche ailée si particulière était en fait une manifestation de la douleur. D'autant qu'elle s'obstinait à cacher sa souffrance. Je me souviens que quand elle avait trop mal, elle allait s'allonger sur le divan dans la pénombre du salon. Elle restait là une heure ou deux, sans mouvement, avec cette odeur de camphre qui flottait dans l'air. Il faut imaginer le reste de la maison pour comprendre l'impact d'un tel comportement sur un garçon de dix ans. C'était une assez grande maison avec six portes et quatre fenêtres où les gens, comme les animaux, circulaient sans cesse. Tante Renée m'a fait comprendre qu'on avait tous une vie intérieure. Elle faisait de ces plongées inquiétantes dans l'univers de Zweig d'où elle ne remontait que pour respirer. Parfois elle fermait les yeux et restait ainsi un long moment. Comment peut-on garder intacte une pareille intensité quand on n'arrête pas de bavarder autour de vous ? Une fois, une seule fois, comme je lui demandais à quoi elle pensait, elle m'a longuement regardé avant de murmurer qu'elle ne pouvait me le dire. Est-ce un secret ? Non, fait-elle, c'est intime. Voilà un mot qu'on n'entend plus. Comme celui de mélancolie d'ailleurs. Les deux vont bien ensemble. Cet art de vivre semble avoir complètement disparu de notre univers, et c'était hier. Est-ce dû au fait que nous ne pouvons plus tolérer la moindre douleur ?

Après le cimetière, on s'est rendus à une petite fête chez un cousin. La mer, tout près. Au centre, sous les manguiers, une piste de danse où on a dressé une longue table couverte d'une nappe blanche. Des adolescentes de la famille font le service. De temps en temps, quelqu'un m'emmène discrètement dans un coin pour me faire un compte rendu de ce qui s'est passé depuis mon départ de Petit-Goâve en 1963. Je ne connais naturellement aucun des noms qu'on cite, mais ce qui me touche c'est la gravité avec laquelle on me narre ces sagas. Je ne sais comment réagir car je peine à comprendre où ils veulent en venir. On veut simplement te parler, me glisse une de mes cousines, on ne te voit pas souvent. A la fin on me serre longuement la main tout en me regardant droit dans les yeux. Je finis par baisser les yeux face à une telle intensité. Mains calleuses de paysan qui laisse derrière lui une odeur de feuille verte. Les urbains sentent la gazoline. Cette différence d'odeur nous éloigne l'un de l'autre. Nous sommes tous parents dans ces petites villes où on se marie entre cousins. J'ai rejoint le reste du groupe qui riait en se racontant une histoire au sujet de tante Renée. Après le café, suivi d'un dernier rhum, on est retournés en ville où j'ai flâné jusqu'au port. L'église, sur les marches de laquelle je m'asseyais l'après-midi en attendant l'arrivée de maître Calonges qui me donnait des leçons particulières, est aujourd'hui complètement rasée. La bibliothèque en face, où j'avais pris la parole en décembre dernier, est aussi rasée. Pas une pierre debout. En me tenant devant le presbytère, je peux voir la mer. Je croisai, au retour, un jeune médecin qui travaille pour la Croix-Rouge, il m'a immédiatement signalé que la malaria est revenue en force dans la région. N'ayant pas pris mes pilules contre la malaria avant de voyager, je suis retourné à la voiture et on est partis. Dire qu'en 1974, j'ai fait une recherche à Petit-Goâve pour découvrir que la ville, entourée de marais, est infestée d'anophèles gorgés de malaria. Au moment de partir on a su que la voiture avait un problème d'alternateur. On la laisse à Petit-Goâve sous la supervision d'un cousin pour rentrer dans la voiture d'une cousine. C'est cela les funérailles : une tribu de cousins et de cousines. Pas de lumière sur la route nationale. Heureusement qu'on n'est pas tombés en panne dans cette obscurité. Ma sœur a angoissé toute la nuit à cause de sa voiture laissée là-bas. Après le séisme c'est important d'avoir une voiture en état de marche – je parle de ceux qui en ont une. Son travail se trouve à l'autre bout de la ville. On est revenus samedi soir. Dimanche matin, un chauffeur est parti pour Petit-Goâve, tôt le matin, après avoir acheté un alternateur de seconde main. On a pu l'installer assez rapidement pour qu'il soit à Port-au-Prince avant la tombée de la nuit. Ma sœur s'est remise à sourire. « Cette voiture c'est comme mes jambes, chante-t-elle, sans elle je ne pourrais pas aller travailler. Et si je ne travaille pas, je suis morte. Morte, morte, morte. » Je ne connais rien de plus vivant que ma sœur quand elle est heureuse.

Un tremblement de corps

Un ami m'invite au restaurant. La nuit tombe déjà. On n'entend que des chuchotements. Léger grouillement humain sous les tentes. Quelques lampions allumés. Au fur et à mesure qu'on monte vers Pétion-ville on constate qu'il a beaucoup plu. Nous voilà sur la place Saint-Pierre. Je me demande comment font les gens pour dormir dans la boue, chaque nuit. Heureusement qu'il y a ce soleil le jour. L'eau de pluie dévale de la montagne. On passe à côté d'une discothèque. File de voitures luxueuses. On vient se défouler après toutes ces émotions. Le restaurant juché sur une colline où on a une magnifique vue de la ville. Je vois des silhouettes là-haut, et je me demande ce qu'on ressent à manger en regardant une ville brisée. Mon ami m'emmène à La Plantation où on mange un excellent poisson. Juste avant le dessert, je suis allé aux toilettes me laver le visage quand mes jambes ont flanché. Je me suis agrippé au bord du lavabo. J'ai senti une bonne secousse. Souffle coupé. Déjà en sueur. Je m'assois un moment sur le bol des toilettes. Mes jambes sont molles. Je retourne dans la salle après avoir repris mes esprits. La même ambiance qu'avant. Rien qui indique qu'il y a eu une secousse. Je ne peux pas être le seul à l'avoir sentie. Les gens vont en parler. Je n'ai qu'à attendre. Conversations animées. J'ai fini par comprendre que c'est mon corps qui a tremblé et non la terre.

Un mot nouveau

Debout sur le trottoir, j'attends le retour de mon neveu. De jeunes femmes se faufilent hors du camp d'à côté. Elles sont habillées pour sortir un samedi soir. Mon neveu n'est pas encore revenu, et ma mère s'inquiète. J'écoute la radio que ma mère a oubliée sur la galerie, près de sa chaise. En fait je n'écoute pas vraiment. On ne compte pas le nombre de stations qui sévissent à Port-au-Prince. Je les reconnais par le niveau de décibels. Beaucoup d'animateurs croient qu'il faut hurler pour garder l'attention du public. Il fait déjà si chaud. D'autres présentent le bon profil de leur voix afin de séduire les quartiers bourgeois où l'on déteste le ton criard. En fait je ne suis pas aussi perturbé que je le laisse entendre par cette cacophonie où chacun hurle son argument sans même faire semblant d'écouter l'autre. On ne parle que de politique, le pain quotidien de ceux qui préfèrent l'opinion à l'information. Et là quelqu'un entre dans une terrible colère qui a retenu mon attention un moment jusqu'à ce que je comprenne que ce n'est que du théâtre. Durant ces discussions enflammées j'ai noté ces mots (à chaque fois hurlés) qui reviennent sans cesse : fissures, décombres, reconstruction, camps, tentes, ravitaillement. Parviendront-ils à déloger ceux de la génération précédente : Aristide, « chimère », corruption, gouvernement de facto, déchouquage et embargo ? Et avant c'était : Duvalier, dictature, prison, exil, tonton-macoute. Chaque décennie a son vocabulaire. La fréquence de certains mots dans les médias nous renseigne sur l'état des choses. Les deux favoris ont été pendant longtemps : dictature et corruption. Pour la première fois on entend reconstruction. Un mot vraiment nouveau. Et cela même si beaucoup de gens n'y croient pas trop.

Une petite indisposition

Ma mère et ma sœur étaient sur la galerie. Mon neveu en train de préparer un cours d'économie politique. J'étais couché dans sa chambre. Mon beau-frère soupait, seul, en lisant son journal. Subitement un bruit d'assiette cassée. Mon neveu se précipite pour trouver son père affalé sur la table, les mâchoires serrées. On ne savait pas quoi faire. Ma sœur est arrivée, assez calme. Son calme me fait toujours peur car je sais qu'elle panique au fond. Elle lui a envoyé de l'eau froide au visage. Pendant que je tente de lui desserrer les dents, mon neveu essaie de lui glisser une aspirine dans la bouche. Ça n'a pas marché. Un peu d'eau sucrée a été plus efficace. Il s'était senti mal, et croyant sa tension en hausse, il a alors pris son médicament pour la faire baisser. C'était le contraire. Une chute de tension l'a jeté dans une sorte de coma. Le visage fermé de ma mère arpentant le couloir en invoquant la Vierge. L'alerte passée, mon neveu rigolait en sourdine mais on sentait qu'il avait peur. On est tous allés se coucher sans rien dire. Mon neveu a branché son appareil électrique pour chasser les moustiques. On a entendu ces bruits secs du moustique grillé jusqu'à ce que ma sœur lui demande de l'éteindre pour qu'on puisse dormir.

La stratégie de Frankétienne

Je suis passé chez Frankétienne, hier. Il n'était pas là. J'ai jeté un coup d'œil dans la cour. Tout semblait en ordre (le désordre compris). Ce matin je vois des maçons au travail. Le chef de chantier m'invite à visiter les travaux à la demande de Frankétienne qui ne peut être présent à cause d'un rendez-vous hors de la ville. Une fois par mois il rencontre de vieux amis pour de longues discussions sur des sujets divers, en un mot il ne reviendra pas avant le soir. Je remarque qu'on a ajouté de solides pylônes un peu partout dans le but de résister au prochain séisme. Frankétienne en a profité pour peindre ces pylônes à la manière de Basquiat. Je sens aussi quelques réminiscences des deux peintres haïtiens qui lui sont les plus proches : Tiga et Saint-Brice. Tout Frankétienne est là : il ne voit les choses qu'en artiste. Je n'ai pas osé en parler au chef de chantier, mais j'ai l'impression que ce n'est pas en ajoutant des pylônes qu'on va rendre la maison plus résistante aux tremblements de terre. C'est même le contraire. Frankétienne fait toujours plus que moins. Face à un séisme la stratégie c'est de plier l'échine, mais Frankétienne a fait couler du béton dans son épine dorsale. Ce sera un duel. Ce qui importe c'est que Frankétienne tente de faire de ce désastre une œuvre d'art.

Le bois

On parle de nouveau du bois. Je me souviens que juste avant le séisme on était au problème du déboisement. On ne parlait que de ça, surtout dans les médias internationaux. Haïti au bord d'un désastre écologique. Pas d'arbre, donc rien pour retenir la terre arable en cas de fortes pluies. On pouvait voir les os du pays. Tout cela parce que les gens ont coupé les arbres pour faire du charbon. Depuis quelques années, les candidats à la présidence ont inscrit le reboisement dans leur programme. S'il y a encore quelques arbres debout c'est dû au fait qu'on utilise plutôt le béton pour la construction. Mais depuis l'échec du béton face au séisme, on parle de revenir aux constructions en bois. Le bois plus souple ayant mieux résisté aux secousses que le béton. C'est juste, mais le problème c'est que si on se met au bois, on risque une nouvelle catastrophe écologique.

L'ami nomade

Dominique Batraville, cet ami, habite Port-au-Prince. Je ne connais pas son adresse. De toute façon, il n'est jamais chez lui. On finit toujours par le croiser à une exposition, un lancement de livre, une conférence de presse au ministère de la Culture. C'est un journaliste culturel, exactement ce que je faisais quand je vivais dans cette ville. Il fait partie des jeunes poètes que mon beau-frère Christophe Charles a publiés, il y a quelques décennies, dans son magazine qui ne s'intéressait, à l'époque, qu'aux poètes de moins de dix-huit ans. *Boulpic*, son premier recueil de poèmes en créole a connu un vif succès. Mais, lui, comme beaucoup de ceux de sa génération, il a connu l'enfer – sans jamais se plaindre. Quand je m'inquiète de sa santé, il se contente, pour me rassurer, de se frapper la poitrine de sa paume ouverte. C'est sa façon de défier la maladie. On ne sait jamais dans quel état on le trouvera. Il a des hauts et des bas. Quand ça ne va vraiment pas, il peut disparaître de la circulation pendant un bon mois. Les amis, alarmés, le recherchent tout en sachant qu'il réapparaîtra un jour. Le voilà d'ailleurs. On entend, de loin, son grand rire si caractéristique. L'un des rares hommes que je connaisse qui n'a pas d'ennemis. On ne devrait jamais dire une pareille chose, je le dis pour lui. Il franchit allègrement les frontières, et cela dans un pays où on ne plaisante pas avec la question des classes sociales. C'est un homme-orchestre : il est animateur de radio, journaliste de la presse écrite, poète, comédien et imprésario bénévole. On le voit souvent avec une jeune femme dont il vante le talent. Il parcourt la ville. On l'imagine de plus en plus fragile (surtout depuis la mort de sa mère). Quand il surprend mon regard alarmé, son clin d'œil complice se fait rassurant. Si Frankétienne observe constamment Port-au-Prince du balcon de sa maison où il se tient souvent torse nu, Batraville, lui, déambule dans la ville. Il en connaît chaque recoin. Avec cette façon d'arpenter le territoire, il me fait penser à Gasner Raymond, cet ami assassiné par la dictature il y a trente-cinq ans. Gasner était caustique. Le rire de Batraville peut sembler parfois sarcastique, mais on voit tout de suite que c'est un homme généreux et doux. On le sent à cette façon qu'il a, en vous accueillant, d'ouvrir largement les bras tout en projetant son torse vers vous. J'ai respiré en apprenant qu'il n'était pas mort durant le séisme. Cet homme si démuni incarne à mes yeux cette ville indomptable.

Une photo

Dans cette ville brisée, beaucoup de ceux qui viennent pour aider n'ont pas oublié leur appareil photo. Au début ils tentent de capter la douleur sur pellicule. Les photos sont envoyées à des amis par Internet. Après un moment ils commencent à y prendre goût. C'est que chaque photo suscite un certain intérêt là-bas. Chaque photographe amateur rêve de se trouver au bon endroit au bon moment pour avoir la bonne photo. Ils copient les professionnels en mitraillant aveuglément. J'ai rencontré un de ces photographes amateurs tout fier de mitrailler une foule. Il me raconte qu'il suit un cours de photo dans une université de Miami, avec un prof intraitable qui n'accepte que les tirages sur papier – ce qui lui coûte une fortune. Pas de cadrage. Ce prof déchire les photos si rapidement qu'on se demande parfois s'il a eu le temps de les voir. Il me raconte cela tout en continuant à photographier. Je l'observe depuis un moment pour constater que sa méthode n'est pas différente de celle de son prof. Jusqu'à se demander si c'est lui ou l'appareil qui fait la photo. Pourquoi ne prend-on pas le temps de regarder au moins celui qu'on photographie ? D'où vient ce goût de mitrailler ainsi les gens ? On n'a besoin que d'une photo. Le coup d'œil qu'il me jette m'a fait comprendre qu'on ne vivait pas dans le même siècle. Cela me prend au moins une heure pour croquer une scène alors qu'avec son appareil photo il peut en faire une cinquantaine en une minute. J'ai l'air d'un vieil artisan avec mon carnet noir où je note le moindre détail qui me permettra de dessiner un visage. On suit la foule pour déboucher sur la place de la cathédrale détruite. On continue à causer de nos arts et de nos manières respectifs. Il semble plus réceptif qu'avant, faisant des calculs mentaux pour voir combien cette technique de la photo unique lui permettra d'économiser. Il reste qu'il se dégage une énergie particulière du photographe en train de mitrailler un sujet. Je ne sais pas à quoi ressemble un écrivain au travail. Nous découvrons une femme debout, les bras largement ouverts, devant la grande croix noire (tout ce qui reste de la cathédrale). Je m'installe sur un muret pour écrire. Comment décrire une pareille scène ? Il n'a fait qu'une photo.

De nouveaux repères

L'Etat a beau nommer les rues, ils établissent leurs propres repères. Une église, une maison vide, un parc, un édifice public, un stade, un cimetière – tout peut servir de repère. Chaque individu finit par s'inventer une carte personnelle de la ville. On débarque de la province avec des informations précises permettant de repérer un parent, un ami ou un édifice public. Heureusement qu'aucune maison ne ressemble à une autre. On a même l'impression qu'aucun plan urbanistique n'a jamais été envisagé. Chacun a eu son mot à dire dans la construction de sa maison pour ne pas se retrouver dans une cage à poule. Chaque maison est donc repérable grâce à son originalité et surtout ses couleurs criardes. Quand tout est aujourd'hui détruit et qu'on a toujours refusé de se repérer par le nom des rues, on a quelque difficulté à s'orienter, surtout au début. Cette situation a créé une nouvelle réalité à laquelle il fallait rapidement s'adapter. « Tu vois où se trouvait le Caribbean Market ? Alors tu continues un peu jusqu'à passer deux immeubles par terre... » A la réalité de cette ville en miettes, les gens ont ajouté des éléments de l'ancienne ville qui flotte encore dans leur mémoire. Pour cette population, dont l'esprit est toujours en ébullition, les choses s'additionnent au lieu de se soustraire. Il faut attendre une génération de gens qui n'auront pas connu l'ancienne ville pour qu'on puisse accepter la nouvelle carte.

Le golf

Le terrain de golf est, depuis quelques mois, occupé par une foule qui ne savait rien de ce jeu avant le séisme. Un tel jeu est difficilement compréhensible dans une ville aussi surpeuplée. Il exige trop d'espace pour un public restreint : à peine une dizaine d'épouses ennuyées et de jeunes maîtresses qui font semblant de s'amuser en attendant la fin de la partie. Une minuscule balle blanche pour un si vaste terrain, ce qui semble une provocation de plus. On semble prendre son temps dans un pays où l'espérance de vie trop brève pousse les gens à s'agiter constamment. D'ailleurs notre passion c'est le football. Ici la terre est bonne mais pas un arbre fruitier dessus. La plupart des agronomes croient que si on est encore en vie c'est grâce aux manguiers et aux avocatiers qui servent de rempart à la grande famine. Si les propriétaires du terrain de golf sont de plus en plus inquiets c'est qu'ils sentent que les gens ne sont pas près de quitter l'endroit. Il a fallu un tremblement de terre pour qu'ils arrivent là, il faudra un événement de même ampleur pour les déloger.

La chaise

Entre le lit de tante Renée et celui de ma mère dans l'étroite chambre, se trouve une chaise. C'est une vieille chaise que ma grand-mère a rapportée de Petit-Goâve. Elle me rappelle que ma grand-mère, avant sa mort, partageait cette chambre avec tante Renée. Ma mère dormait dans celle où se trouve aujourd'hui ma sœur. Après la mort de ma grand-mère, ma mère est venue la remplacer à côté de tante Renée. On ne pouvait pas laisser tante Renée seule la nuit depuis son accident cardiaque. C'est une chambre assez spartiate où on ne trouve que deux petits lits séparés par une vieille armoire. Et la chaise sur laquelle je m'asseyais quand je voulais passer un moment avec elles. En fait j'utilisais la chaise pour converser avec ma mère. Quand je parlais à tante Renée, je préférais m'asseoir sur son petit lit. Je suis le seul à qui elle permettait un tel privilège. Depuis sa maladie, elle s'exprimait difficilement, il fallait être près d'elle pour la comprendre. Ma mère la connaissait si bien qu'elle captait le moindre de ses désirs avant même qu'elle ne l'exprime. Les autres arrivaient à déchiffrer tant bien que mal ses borborygmes. Etant rarement présent, je ne pouvais décrypter son propos qu'en me concentrant sur son visage (sa bouche et ses yeux). Elle répétait chaque mot plusieurs fois, avec cette patience touchante, jusqu'à ce que j'arrive à saisir ce qu'elle tente de me dire. C'était souvent les mêmes choses : elle me demandait des nouvelles de mes filles, de ma santé, et le sujet du livre que j'étais en train d'écrire. On tenait tous les deux assez à cette conversation pour refuser tous ceux (d'abord ma mère) qui auraient voulu servir d'interprètes. Après cette conversation avec tante Renée, j'allais m'asseoir sur la chaise pour me retrouver entre ces deux femmes qui occupaient une place si importante dans ma vie, comme dans mon écriture. Cette chaise, comme tout dans cette chambre a vieilli, mais ma mère ne l'entend pas ainsi. Elle veut que ma sœur la fasse réparer. Et quand ma mère veut vraiment quelque chose elle en parle matin et soir. Ma sœur est bien embêtée car elle ne peut décemment pas demander à des artisans de s'occuper de cette vieille chaise quand ils doivent se consacrer à des commandes plus urgentes. Et ma mère qui ne lui laisse pas une minute de répit. Sans la chaise, elle a l'impression qu'il n'y aura plus de visiteur.

La place de Dieu

Le peu de choses qu'on avait se trouve sous les décombres. La ville est sur les genoux. L'aide n'arrive pas à toucher certaines couches de la population. Pour ces gens, ce qui se dit à la radio, c'est-à-dire la politique, ne les concerne pas. Ils ne peuvent compter que sur eux-mêmes. Et Dieu. Dieu c'est pour se convaincre qu'ils ne sont pas seuls sur cette terre, et que leur vie n'est pas uniquement ce chapelet de misères et de douleurs. Le plus important c'est qu'ils ont accès en tout temps à Dieu. Ils ont compris qu'il ne faut pas trop lui demander. Si ses moyens spirituels sont infinis, ses moyens matériels sont limités. S'ils ont perdu leur maison, ils lui rendent grâces d'avoir épargné leur vie. Je suis toujours étonné par les commentaires des intellectuels sur la place de Dieu chez les pauvres. Cela n'a rien à voir avec la spiritualité. C'est comme la chaise de ma mère. Vaut mieux l'avoir si jamais un visiteur se pointe.

Une ville d'art

Si c'est vrai qu'on a tant de peintres, et on en a à ne plus savoir qu'en faire, il faudrait leur réserver une place spéciale dans la reconstruction. Une maison n'est pas un abri. Et une ville doit avoir une âme pour être habitable. Qu'est-ce qui définit Port-au-Prince sur la scène internationale ? Les *tap-taps* bariolés qui font le transport en commun ? Pourquoi ne pas penser à peindre certains quartiers ? A faire de Port-au-Prince une ville d'art où la musique pourrait jouer un rôle ? Haïti doit profiter de cette trêve pour changer son image. On n'aura pas une pareille chance (façon de parler) une deuxième fois. Présenter un visage moins crispé. Bien sûr qu'on connaît la raison de cette crispation (misère, dictature, insécurité, cyclones), il n'empêche que cela repousse le visiteur. Malgré nos drames, nous produisons une culture joyeuse qu'il vaudrait mieux exposer. En séparant l'art de l'artisanat. La peinture haïtienne est un art majeur. Pourquoi les métropoles comme Paris (Paris l'a fait plus souvent que les autres), New York, Rome, Montréal, Berlin, Tokyo, Madrid, Dakar, Abidjan, São Paulo, Buenos Aires n'organisent-elles pas d'importantes expositions sur l'art haïtien dans leurs musées nationaux ? Ce serait un partenariat intéressant où chacun trouverait son compte. Et Haïti reprendrait alors sa place parmi les autres pays. Son apport serait artistique – ce qui n'est pas rien.

Brésil et Haïti

Le Brésil a trois choses en commun avec Haïti : le café, l'amour du foot et le vaudou – ils pratiquent une variante du vaudou, le candomblé. Pour le foot, on a sauté dans le train du Brésil. A tout cela, il faut ajouter la même passion pour la musique (la fièvre des corps durant le carnaval) et ces rituels qui remontent à l'Afrique. On voue un tel culte à l'équipe brésilienne de football qu'on reste du côté du Brésil même quand il joue contre Haïti. Je me souviens du passage de Pelé à Port-au-Prince. La ville était en transe littéralement. Je n'étais pas allé voir le match. J'habitais près du stade pourtant. J'étais très étonné d'entendre trois gueulantes qui ont secoué la ville. A tel point que je suis sorti pour aller aux nouvelles. Un type remontait la rue en sautillant de joie. Je lui ai demandé combien Haïti menait contre le Brésil. Il m'a regardé comme si j'étais un fou furieux pour me lancer que si le Brésil n'a marqué que trois buts jusqu'ici c'est uniquement par courtoisie. Jusqu'au bout de la rue, je l'entends encore rire dans ma mémoire. Et là, à la veille du Mondial, chaque tente a hissé son drapeau brésilien. Les chaudes couleurs jaune et vert apportent une certaine gaieté à la ville. Brusquement le séisme n'était plus le premier sujet de conversation de cette ville meurtrie.

Un écrivain au travail

Quand je suis arrivé, mon neveu était en train d'écrire sur un vieil ordinateur qu'il a bricolé lui-même. Je m'assois dans un coin pour le regarder. Il garde un cahier près de lui où il gribouille de temps en temps. Exactement comme je fais. Je ne lui ai pourtant rien dit de ma manière de travailler. Peut-être qu'il l'a lu quelque part. Ou que nous avons les mêmes méthodes. Les écrivains en train d'écrire ont tous le même aspect. Il se retourne brusquement vers moi.

— Tu écris ?

— Je ne sais pas...

— Mais je t'ai vu...

— Je n'écrivais pas.

On se regarde un moment.

— Pourquoi refuses-tu d'accepter que tu étais en train d'écrire ? C'est ce que font les écrivains.

— Je ne suis pas un écrivain, fait-il sur un ton ferme.

— Pourquoi ?

— Je n'ai pas écrit de livre.

— Un écrivain c'est simplement quelqu'un qui écrit.

Il me jette ce regard de boxeur sonné. C'est le métier qui entre. Un long chemin l'attend. Il devrait le prendre seul.

Un dimanche à Petit-Goâve

Je veux fuir le vacarme de Port-au-Prince et le meilleur moment pour traverser cette ville constamment survoltée c'est un dimanche tôt le matin. Il me faut aussi refaire la route dans un climat autre que celui des funérailles de tante Renée. Tout revoir d'un autre œil. De notre maison à Delmas 31 jusqu'aux fragiles cahutes le long de la mer, à Martissant, je découvre, étonné, un Port-au-Prince endormi. Je ne me souviens plus de la dernière fois que j'ai vu ce monstre au repos. Même les *tap-taps* bariolés, ces rapides camionnettes qui transportent les milliers d'ouvriers des quartiers populaires vers la zone industrielle se font rares. Quelques fêtards attardés qui rentrent se coucher. Ou de vieilles dames se rendant à la première messe du jour. De toutes jeunes filles avec des seaux d'eau sur la tête. Pourtant on traverse une zone surpeuplée et très pauvre. Toute la semaine, dans ces bidonvilles qui bourgeonnent autour de Port-au-Prince, on n'a discuté que de l'inadmissible élimination du Brésil de la coupe du monde. Ils sont sûrement épuisés par ces fortes émotions (il y a eu quatre morts suite à cette défaite du Brésil). A peine sur la route nationale, je retrouve l'exaltation que j'ai toujours ressentie en quittant Port-au-Prince pour Petit-Goâve après les examens de fin d'année. Sur la route : les myriades de bicyclettes et de petites motos jaune et rouge servant de taxi pour transporter ces jeunes filles qui me jettent ce long regard impassible qui m'obsède depuis l'adolescence. A gauche de petites maisons aux fenêtres peintes en bleu et jaune comme dans les tableaux qu'on vend devant les hôtels. A droite j'aperçois, derrière les champs de canne, la mer turquoise à cette heure. De vastes étendues où on ne croise personne alternant avec de petits marchés déjà animés. Un soleil vif nous attrape au pied du terrible morne Tapion. Je garde depuis mon enfance le pressentiment qu'un camion basculera un jour dans cette falaise avec moi. Je descends du camion pour cueillir une mangue et la manger sur place – un vieux rêve. Et voilà Petit-Goâve tout juste de l'autre côté de la montagne. Je n'ai pas reconnu l'entrée de la ville. La nouvelle route ne passe pas par le cœur de la ville qui s'est agrandie. Me voilà décontenancé. J'ai beau chercher dans ma mémoire si fertile en détails s'agissant de Petit-Goâve, je ne retrouve aucune de ces maisons. La voiture tourne sur la droite vers la mer. Et Petit-Goâve surgit si brusquement devant moi. La même longue rue blanche et sèche qui traverse la ville. On passe devant l'hôpital toujours adossé à la mer pour continuer jusqu'à la petite place près du marché. La nouvelle place est plus jolie que celle de mon enfance, mais elle me fait moins d'effet.

Je la voudrais plus naturelle, moins pimpante. Je voulais voir le port. C'est là que les adultes se retrouvaient pour la promenade du soir quand la chaleur de juillet était trop insupportable. Pour les adolescents, c'était l'endroit rêvé pour d'innocents frôlements et des croisements de regards brûlants. Quand je pense que cela suffisait pour m'envoyer au ciel. On est passés près de l'église, toujours blanche et propre dont les chants religieux et la cloche de midi m'habitent encore. De l'église (qui n'existe plus que dans ma mémoire) jusqu'à l'école primaire des frères de l'instruction chrétienne où des religieux bretons se sont occupés de mon éducation. L'école des sœurs avec sa nuée de fillettes m'a rappelé les années Vava. Et la maison du professeur Killick qui fut le meilleur arrière-central de l'équipe de football de Petit-Goâve. On tourne à gauche vers la maison du 88 de la rue Lamarre. Je tente depuis deux décennies d'en faire une adresse universelle, celle d'une enfance heureuse. Je ne l'ai reconnue que par la grande croix du Jubilé tout au fond. J'ai d'abord remarqué la maison d'en face où il y avait ce chien noir. La maison de mon enfance appartient aujourd'hui à cet ami qui habitait en face, mais elle est tapie, intacte, dans les fourrés de ma mémoire. D'ailleurs en la visitant, j'ai entendu les voix claires de mes tantes et senti la présence si apaisante de ma grand-mère. Dans la pénombre le frôlement de mon chien Marquis. J'ai longé le petit marché du dimanche jusqu'au vieux cimetière, de l'autre côté du pont. Et c'est tout au fond que j'ai retrouvé, entouré d'herbes folles, la tombe de ma grand-mère, à côté de qui repose tante Renée. J'y ai déposé un bouquet pris sur une des tombes plus loin.

L'électricité

J'étais en train de dormir quand j'ai entendu ce cri d'allégresse. Qu'est-ce qui se passe ? L'électricité, me dit ma sœur, on a donné le courant. Branle-bas dans la maison. On allume toutes les lumières. On va faire du café. On fait jouer de la musique. Une énergie stimulante. On entend les hurlements de joie des voisins. Ma sœur me raconte que ces mêmes voisins nous vampirisent en pompant une grande part de notre électricité. Comment ça ? Elle court farfouiller dans ses tiroirs pour finalement extirper une liasse de bordereaux qu'elle me tend sous le nez. Les chiffres sont faramineux. Cela fait des mois qu'elle traîne dans les bureaux de la compagnie nationale d'électricité (EDH) pour faire baisser ses comptes. Elle finit par voir quelqu'un qui comprend le problème, élimine une partie de sa dette, mais la prochaine facture remet le même montant. C'est à vous rendre folle, me dit-elle. Ma mère écoute debout sur le pas de la porte de la chambre. Ces tracasseries administratives empoisonnent leur vie. Tout est fait ici, dit ma sœur, pour vous pourrir la vie. Ma mère ajoute qu'elle n'a plus que du poison dans les veines. Mais les deux conviennent qu'on ne peut pas vivre sans le peu d'électricité qu'EDH consent à donner par jour (quatre heures). Non seulement parce que c'est utile, mais surtout parce que ma sœur refuse de « retourner au Moyen Âge ». Ma mère acquiesce avec lassitude, car cela fait un moment qu'elles livrent ce combat. Ma sœur qui ne parle presque jamais de politique ajoute que le gouvernement traite les pauvres gens comme des bêtes. De nouveau ma mère acquiesce, mais c'est uniquement pour soutenir sa fille.

Le Palais national

On commence à regretter la vie d'avant. La vie d'avant le 12 janvier 2010, je veux dire. Pour être précis j'ajouterai qu'on a quand même eu les deux tiers de la journée du 12 janvier puisque le séisme est arrivé à 16 h 53. Jusqu'à 16 h 52, on vivait dans l'insouciance. Il nous restait une minute. Que vaut une minute ? Beaucoup puisque le tremblement de terre n'a pas duré une minute. Le choc le plus fort fut d'apprendre que le Palais national était tombé. Je me souviens du silence qui a suivi la nouvelle. Comme si on venait de perdre la guerre. Des mois plus tard, on n'arrive toujours pas à digérer cette absence. C'était le pivot autour duquel tournaient les rêves de grandeur et aussi contre lequel se fracassaient les espoirs d'un peuple. Il y a des gens, plutôt de gauche, qui se disent heureux que le Palais soit tombé – j'imagine pour ce qu'il représente comme symbole. Ce sont surtout les plus pauvres que sa chute a attristés. Ils le considéraient comme la seule maison dont ils pouvaient se croire les propriétaires – c'est une idée plus fortement ancrée dans la tête du citoyen ordinaire qu'on ne le croit. Chaque mère rêve que son fils aîné occupe un jour « le fauteuil présidentiel ». Le fait que les dictateurs l'ont squatté, plus souvent qu'à leur tour, depuis plus de deux cents ans, ne le rend nullement indigne. Les gens n'ont jamais fait l'erreur de confondre le bâtiment avec son occupant. Ils espèrent un jour lui redonner sa splendeur. Si l'importance d'un édifice réside dans l'émotion que son absence déclenche, celui-là a une valeur plus que symbolique. Une houle d'émotion a submergé la ville, le pays même, quand on a su que le Palais avait explosé sous la violence de la première secousse. Ce Palais national qui ressemble à un énorme gâteau blanc posé sur une table basse faite de gazon, et qui suscite une envie pareille à celle des enfants le jour de leur anniversaire.

Le 11 janvier

Pour les besoins d'un reportage, je me suis baladé la veille du séisme avec une journaliste, Chantal Guy de *La Presse*, et un photographe professionnel, Ivanoh Demers. Ils sont passés me chercher assez tôt le matin à l'hôtel Karibe. Ciel clair. Enfin le soleil. Il a fait un sale temps (froid et couvert) toute la semaine dernière. C'est un reportage sur Port-au-Prince. On veut voir la ville par mes yeux. J'ai l'impression qu'on se sert de moi pour faire accepter une proposition que le rédacteur en chef a balayée du revers de la main. On proteste : « Non, on veut ton regard sur cette ville. C'est ton Port-au-Prince intime qu'on voudrait faire partager aux lecteurs. » Dans ce cas il faut descendre au Champ-de-Mars, la grande place qu'on voit en face du Palais national. On tourne autour du Palais. Je raconte que sous Papa Doc, on évitait de passer devant cet édifice trop surveillé de peur de se faire repérer par un tonton-macoute mal luné. Mais si on ne pouvait pas faire autrement, on passait alors très vite en évitant de respirer. C'est le Champ-de-Mars qui nous intéressait à l'époque. On y venait pour étudier, respirer un bol d'air quand il faisait trop chaud dans nos maisons aux toitures en tôle, jouer au foot avec les copains ou faire la cour aux filles des quartiers avoisinants qui venaient, comme nous, préparer les examens. Demers photographie sans s'arrêter pour cadrer. Il veut capter les choses au vol. On s'est dirigés vers le petit café (une demi-douzaine de tables) jouxtant le cinéma Rex (le meilleur hamburger en ville) pour tomber sur le caissier que j'ai connu quand j'y venais manger un hamburger, le samedi soir, après le western du Rex. Juste en face se trouve le musée du Collège Saint-Pierre où je suis entré voir les œuvres de Saint-Brice, Hector Hyppolite, Antonio Joseph, Cédor, Lazare, Philippe-Auguste, Wilson Bigaud, Benoît Rigaud, Jasmin Joseph, enfin tous ceux que j'ai découverts au début des années 70. On a, ensuite, longé la rue Capoix, en passant devant le lycée de Jeunes Filles, jusqu'à la rue Lafleur-Duchêne où j'ai vécu avant mon départ d'Haïti pour Montréal. J'ai revu la maison où je vivais avec ma mère, ma sœur et mes tantes avant qu'elles ne déménagent, après mon départ, pour Carrefour-Feuilles, un quartier plus populaire et aussi plus vivant. Une dame m'a reçu dans la cour où elle a installé un salon de coiffure sous un auvent. Elle voudrait ajouter une nouvelle pièce à la maison avant la fin de l'année, car la clientèle grossit à vue d'œil. La femme en train de se faire coiffer, à côté d'elle, fait une blague graveleuse que je n'ai pas bien comprise, ce qui provoqua une hilarité générale. Quand je suis parti, elle riait encore. On a continué sur la rue Capoix jusqu'à l'hôtel Oloffson où Graham Greene a vécu au tout début des années 60 au moment où il écrivait *Les Comédiens*, ce roman qui a rendu Papa Doc tristement célèbre. On s'est installés à une table pour un rhum-punch, en attendant notre plat de lambi. On a tous commandé la même chose espérant que cela pourrait accélérer le service. La nourriture est très bonne à l'Oloffson, mais il faut attendre longtemps. On en a profité pour faire une longue interview, et quelques photos supplémentaires. Puis nous sommes rentrés, chacun à son hôtel, en se donnant rendez-vous pour le lendemain.

L'adresse aux dieux

Je me demande combien de temps cela prendra avant qu'un tel événement (un séisme de magnitude 7) soit récupéré et transformé par le vaudou. Que disent les dieux de cette affaire ? Legba, où êtes-vous ? Ogoun, que dites-vous ?

Erzulie, qu'en pensez-vous ? Pas un mot. Les dieux se taisent. Si vous êtes derrière cette histoire, avez-vous un plan ? Qu'avez-vous en tête ? Que voulez-vous faire ? D'abord, manifestez-vous.

Que veut Goudougoudou ?

L'imagination populaire, qui a l'habitude des choses démesurées, pourra-t-elle gonfler encore plus ce qui est déjà impensable ? On peut y compter. Il lui faudra seulement un peu de temps. Je me demande comment les autres religions vont s'accaparer l'impact du séisme sur les esprits ? Quelle manne ! Déjà la machine s'est emballée. Chacune des religions et des sectes qui encombrent le paysage spirituel haïtien fait des recherches pour préciser le moment où elle avait prédit le séisme. Les témoins de Jéhovah ont été les premiers – dès la nuit du 12 au 13 janvier – à clamer dans les rues de la ville détruite que c'était la fin du monde annoncée par Jéhovah lui-même. Pour eux, le jour de gloire était arrivé. Ils avaient raison de tourner le dos au monde. Jéhovah ne leur avait pas menti en les avertissant que la colère divine pouvait se déchaîner n'importe quand. Il avait dit qu'Il viendrait comme un voleur et qu'Il serait aussi rapide que la foudre. C'est exactement ce qui s'est passé. Les prêtres vaudous se sont abstenus, par prudence, de commenter l'affaire jusqu'à présent. Ils ne veulent pas être tenus responsables d'un tel désastre. Les protestants et les catholiques les ont déjà pointés du doigt. Pour ces deux derniers groupes, c'est le diable qui opère. A mon avis, cet événement aura une place dans le panthéon vaudou, et on saura alors quel dieu avait manifesté sa colère. Peut-être qu'un tel fracas ne fait qu'annoncer l'apparition d'un nouveau dieu ? Ce dieu a déjà un nom dans la culture populaire, « Goudougoudou », d'après le bruit que faisait la terre en tremblant. Ceux qui n'avaient plus foi dans le ciel ont vu la terre se dérober sous leurs pieds. On craignait le vent avec les cyclones, l'eau avec les inondations et voici que la terre elle-même se révèle un adversaire implacable. Que veut Goudougoudou ?

Le temps de la télé

Deux temps, si l'on peut dire, s'affrontent dans un duel mortel. L'un voudrait éliminer l'autre. Le temps de la nature et le temps de la télé. Dans la réalité, la vie d'un peuple se compte en siècles, parfois en millénaires. Quand une société prend une nouvelle courbe, on ne sent pas le moindre tressaillement avant une trentaine d'années. La macération se fait très lentement. Le temps collectif ressemble à cette vache qui broute sur le côté de la route. Chaque passage de train amène une nouvelle génération d'humains avec sa sensibilité particulière, ses émotions propres et ses combats personnels. Notre vache a entendu siffler tant de trains qu'elle ne lève plus les yeux à leur passage. Elle va tranquillement ruminer ce séisme et cela prendra le temps qu'il faudra. Comme elle achève à peine de ruminer ces jours-ci l'ère des Duvalier. C'est un temps si immobile que la mort d'un homme ne fait pas plus de bruit qu'un simple bip. D'un autre côté, il y a le temps toujours en accéléré de la télé. A la télé, on peut voir fleurir une rose en moins de dix secondes. Dans les moments de grande crise, comme aujourd'hui, les gens restent vissés devant le petit écran. Assez longtemps pour que ce temps artificiel finisse par s'infiltrer dans leurs veines. Quand on regarde trop longtemps la télé, on finit par croire qu'on peut agir sur l'événement qui se déroule sous nos yeux. Tout, dans la vie, nous paraît alors trop lent. On exige des changements instantanés. A chaque fois qu'on revient des toilettes, on veut voir du nouveau. Il faut que ça progresse. Pourquoi ce camion ne va-t-il pas plus vite ? On critique des gens qui agissent quand nous n'avons pas bougé de notre fauteuil depuis deux jours. A un moment donné, on estime qu'il faut passer à autre chose. Et c'est là qu'à défaut de changer la réalité, nous espérons qu'elle se transforme en fiction. C'est ce qui arrive quand on reste trop longtemps devant la télé.

Une visite médicale

Un petit chat aux pieds de ma mère avec des yeux si doux, presque effrayés, qu'il me fait penser à une souris. On l'a trouvé dans la cour après le séisme. Ma mère l'a tout de suite adopté, et depuis ils se chuchotent des choses. Et se comprennent, selon ma sœur. Ma mère vient de quitter la galerie, et le petit chat la regarde, complètement désarmé, comme si son monde venait de s'écrouler. On attend ma mère dans la voiture. Ma sœur l'emmène chez le docteur, ce qu'elle déteste par-dessus tout. Elle n'a jamais autant ressemblé au petit chat. Elle arrive puis rentre à nouveau chercher quelque chose, en refusant de nous dire ce que c'est. En fait, elle traîne. Ma sœur veut être la première arrivée à la clinique, car elle n'a pris congé que de l'avant-midi. Si on passe vite chez le médecin, on aura le temps d'aller faire les tests de laboratoire avant

11 heures. Elle reviendra nous déposer à la maison pour filer au travail. Je la vois déjà en sueur. C'est qu'elle fait tout en vitesse le matin : le petit-déjeuner de la maison, le menu du repas du jour qu'elle prépare avec la cuisinière. Elle règle tant de choses (les factures) tout en s'occupant de ma mère assez capricieuse, de son fils qui n'a jamais ce qu'il faut pour aller l'école, de son mari qui développe une nouvelle maladie chaque matin, de sa fille à l'étranger qui déprime, tout ça pour dire qu'elle n'a pas le temps de penser au traumatisme post-séisme, le thème de la semaine à la radio. Depuis que quelques psychiatres ont raconté à la télé qu'Haïti est un bon laboratoire de recherches pour les traumatismes post-séisme, c'est devenu l'épice qu'on met à toutes les sauces. Tout est vu sous cet angle. Tu arrives au boulot en retard c'est dû au traumatisme post-séisme, même si tu n'as jamais été à l'heure. Finalement, ma mère est montée dans la voiture, et on démarre. Mon neveu est parti avec son père. Ma sœur croit qu'ils ont une chance sur deux d'avoir une panne de pneu en chemin, ce qui fait rire aux éclats ma mère. Ma sœur me prévient que c'est un bon médecin mais un peu cher. On arrive, un bref temps d'attente, et on nous fait entrer dans son bureau. Une vaste pièce calme. Le docteur est un homme mince, un peu coquet mais qui semble compétent, en tout cas il a le ton sec avec cette chaleur discrète des gens efficaces.

Ma mère est toujours intimidée en présence d'un médecin. Ma sœur a l'air attentif et soucieux. Le docteur, mi-sérieux, mi-jovial, paraît légèrement inquiet en voyant le pied enflé de ma mère et surtout la blessure à la jambe droite. Il griffonne quelques indications sur un bloc-notes et nous envoie faire des tests. Les résultats doivent être acheminés à un spécialiste. Dans la voiture, je remarque que le docteur a beaucoup de chance de n'avoir aucune fissure à sa clinique. Ma sœur me raconte qu'il a été kidnappé au moins deux fois. Il est courageux. C'est le minimum pour vivre ici, me fait ma sœur en regardant droit devant elle. On est allés faire les tests, à un laboratoire privé, comme ça on n'avait pas à trop attendre. Je m'attendais à voir là des gens avec un certain niveau de vie. Ils venaient de partout. Ils ne parlaient pas du séisme mais de la difficulté de garder la tête hors de l'eau. Finalement on appelle ma mère. Son angoisse se manifeste jusque dans sa nuque. J'avais oublié qu'elle était si frêle. Elle penche de côté et sa petite valise noire glisse constamment de son épaule. Visage radieux de ma mère au retour, on ne lui a pas fait de piqûre. Nous sommes rentrés tout de suite et ma sœur est partie à son travail.

L'art nouveau

Quelle forme d'art va se manifester la première ? La poésie si impulsive ou la peinture avide de nouveaux paysages ? Où verra-t-on les premières images du séisme ? Sur les murs de la ville ou sur les carrosseries des *tap-taps* ? La nouvelle, moins rapide que le poème, mais plus vive que le roman, reviendra-t-elle à la mode ? Le roman exige un minimum de confort que Port-au-Prince ne peut offrir – c'est un art qui fleurit bien dans les pays industriels. Les écrivains sont-ils déjà au travail ? Est-ce la course pour savoir qui écrira le grand roman de la destruction ou l'essai majeur à propos de la reconstruction ? Frankétienne ou une jeune romancière inconnue ? Dalembert ou un écrivain allemand qui n'avait jamais entendu parler d'Haïti avant le séisme ? Ne pas oublier que le grand roman de la dictature haïtienne (*Les Comédiens*, 1966) a été écrit par Graham Greene, un romancier anglais. D'autant que le séisme a fait le tour de la planète. Donc, il appartient à tout le monde. Que penserions-nous si ce grand roman tragique était écrit par un jeune bourgeois génial et maniéré ? Prendrions-nous ce livre pour ce qu'il est (un chef-d'œuvre) ou verrions-nous cela comme la dernière gifle d'un dieu moqueur ? Et dans quel style serait-il écrit ? Ironique ou tragique ?

Serait-ce possible qu'il soit comique alors qu'il y a tant de morts ? Drôle à pleurer ? Qui va censurer les œuvres qui ne répondraient pas au standard du tolérable ? L'Eglise, l'Etat ou la société ? Les artistes qui n'étaient pas présents lors du séisme ont-ils la légitimité requise pour transformer cela en œuvre d'art ? Le nouvel Haïtien est-il celui qui était présent au moment du drame ? La course est ouverte. Mais on aura perdu quelque chose entre-temps : notre part intime. Chacun est scruté attentivement. Pour simplement prendre la parole, il faudra montrer patte blanche. Dire combien de morts vous avez eu dans votre famille. Comme si c'était une guerre, non un séisme. A propos du séisme de Lisbonne, il reste le poème de Voltaire.

Le lien social

Il y a des centaines, peut-être des milliers d'adolescents qui sont orphelins depuis le séisme. Certains ont perdu toute leur famille. Si on les laisse partir à la dérive, on va se retrouver, dans moins de dix ans, avec un grave problème de criminalité dans le pays. Les gens hésitent à tuer quand ils sont en relation avec les autres. Dans le cas contraire, ils développent une terrifiante insensibilité. On hésite à voler la mère de quelqu'un qu'on a croisé sur les bancs de l'école. Ou à tuer pour de l'argent un ancien coéquipier. Ce sont des liens qui se développent durant l'enfance. On fait partie intégrante de la société. On lui doit des comptes. Si on ne retisse pas assez vite la toile sociale la ville sera rapidement fragmentée et les gangs se multiplieront.

L'ami sûr

J'ai croisé pour la première fois Marcus vers 1972 à une conférence à l'Institut français. Je venais de terminer le secondaire et j'étais à peine inscrit à cette faculté d'ethnologie qui, à mes yeux, était un des rares endroits, à Port-au-Prince, où l'on pouvait faire une bonne sieste tout en s'instruisant. C'était le dernier refuge pour ceux qui avaient raté l'entrée à une faculté plus prestigieuse comme la médecine, le génie ou l'agronomie. Le droit qui ne valait pas grand-chose, à l'époque, était tout de même mieux coté que l'ethnologie. L'ethnologie ne sert en Haïti que si on compte faire des recherches sur le vaudou, la musique traditionnelle et les danses sacrées. Il fallait arborer une barbe en collier et porter une chemise de paysan avec au cou quelques colifichets en « maldioc ». Je passais mes après-midi à la faculté, pas loin du ciné Palace, à discuter des théories du docteur Price-Mars touchant d'une part l'influence de la culture africaine sur l'identité haïtienne, et d'autre part l'impact de la culture française, pour ne pas dire parisienne, sur la bourgeoisie locale. Un soir, j'ai recroisé Marcus à une exposition au musée du Collège Saint-Pierre, et il m'a proposé de venir travailler avec lui à Radio Haïti-Inter. J'ai fait des reportages pour le journal de 13 heures qu'il dirigeait à l'époque. Comme on était voisins, lui à la ruelle Roy, moi à Lafleur-Duchêne, on a pris l'habitude de prendre le petit-déjeuner ensemble. Sa femme Jocelyne m'a tout de suite adopté. On écoutait Wagner car Marcus était revenu, de son stage en France, entiché de Wagner. On faisait le jogging chaque matin autour du Champ-de-Mars tout en discutant de la situation politique, ou plus souvent des rapports compliqués entre le pouvoir et la presse. On devait surveiller ses propos car on avait des indices que des espions du gouvernement avaient infiltré les médias en se faisant passer pour des journalistes indépendants. C'est pour être sûrs que personne ne nous écoutait qu'on causait en courant autour du parc. Marcus était un journaliste très méticuleux qui détestait les rumeurs. Il fallait appuyer chaque affirmation par des faits. Alors qu'on était dans un pays où tout le monde fabulait. Le gouvernement, l'opposition, la presse, les gens dans leur vie quotidienne, chacun s'inventait un univers particulier qui n'avait aucun lien avec la réalité. Je me suis demandé d'où lui venait cette rigueur. Je ne l'ai vu perdre la tête qu'une fois : le jour de la naissance de sa fille. Il était passé me chercher à la maison pour que je l'accompagne à l'hôpital. Il paraissait encore plus survolté du fait qu'il essayait de se contrôler. J'ai fait semblant de ne rien remarquer. Il a fait trois fois le tour du Palais national dans sa voiture. C'était un endroit qu'on évitait généralement parce qu'infesté de sbires du régime et qu'un éclatement de pneu pouvait avoir des conséquences désastreuses. On est arrivés sans encombre à l'hôpital. Il était fou de joie quand on lui a annoncé une fille. Par contre il a attendu un mois avant de prendre le bébé dans ses bras. Jocelyne, sa femme, me lançait des regards désespérés jusqu'à ce qu'un matin, juste avant de monter dans la voiture pour aller à la radio, il se tourne vers Jocelyne pour lui prendre le bébé des mains. Il fallait voir le regard extatique de celle-ci. C'est Marcus qui m'a appris la mort de Gasner Raymond, cet ami avec qui je signais des reportages pour *Le Petit Samedi Soir*, un hebdomadaire politico-culturel très mal vu du gouvernement. Je suis parti à Montréal après l'assassinat de Gasner en juin 1976, et en novembre 1980, Marcus a été jeté en prison avec tous les journalistes indépendants qui réclamaient des élections en Haïti alors que le régime des Duvalier était installé depuis 1957. Puis ce petit groupe a été envoyé en exil. On s'est retrouvés à New York. Puis retour en Haïti en 1986 après le départ de Jean-Claude Duvalier. On s'est perdus de vue avant de renouer à Miami en 1990 quand j'ai quitté Montréal pour pouvoir écrire tranquillement. J'habitais dans le South West et lui, à côté de Little Haïti. Chaque fois que je descendais voir mes tantes qui vivaient à Little Haïti j'en profitais pour aller passer un moment avec Marcus et Jocelyne. Marcus, toujours actif, publiait un hebdomadaire politique *Haïti-Demain* tout en animant une émission de radio. On causait de toutes sortes de sujets, passant de la politique à la littérature, sans oublier les potins de la vie quotidienne. On discutait aussi de cette culture américaine qui nous fascinait tous les deux et cela même si on vivait dans le ventre de la bête. J'apportais des romans d'aventures pour distraire Jocelyne qui était restée nostalgique de sa vie à Port-au-Prince. Elle est retournée y vivre dès qu'elle a pu. Pour Marcus c'était plus difficile car il devait rester à Miami étant donné qu'il y éditait un journal et animait une émission de radio. Son rêve c'était d'avoir une station de radio en Haïti. Avec un copain, Lucien Andrews, il a pu le faire des années plus tard. Et c'est Mélodie FM. C'est là que je l'ai retrouvé ce midi. Il m'a tout de suite remis entre les mains de sa jeune équipe de reporters pendant qu'il préparait le prochain numéro de son journal *Haïti-Demain*. J'ai fait le tour de la station avec l'impression de remonter le temps pour me retrouver au milieu des années 70. Puis Batraville est arrivé et nous avons passé un moment à causer (on nous a servi du café) dans le bureau de Marcus qui n'avait pas encore terminé son bouclage. Rien ne peut le dévier de son travail, même pas un ami qu'il n'a pas vu depuis plus de dix ans. On a fini par évoquer Jocelyne que Marcus avait récupérée sous les décombres de leur maison lors du séisme. Il me l'explique sur ce ton froid, sans pathos. Comme je le connais il se jetterait dans un fleuve en furie pour sauver un chien. Il était à la station quand c'est arrivé. Dès qu'il a su que c'était un tremblement de terre, il s'est rendu chez lui. Il a compris que Jocelyne était morte quand il a vu un vide là où était sa maison. C'est sûr que Jocelyne devait être là-dessous. Car à cette heure, elle était sûrement en train de tricoter devant la télé. En effet, il l'a trouvée sous une poutre. Il l'a vite conduite à l'hôpital mais c'était trop tard. Il est reparti avec elle pour l'installer chez une amie avant de revenir à la radio. Pourquoi être revenu à la radio ? Il m'explique que Mélodie FM, une petite station, se trouvait être la seule radio, avec Signal FM, à émettre ce soir-là. « Je suis journaliste, donc je ne pouvais pas manquer un tel scoop », me dit-il calmement. Un tremblement de terre à Port-au-Prince (on ne savait pas encore que Léogâne,

Petit-Goâve et Jacmel étaient touchés) c'est seulement la deuxième fois dans l'histoire du pays. Il est resté à informer les gens de l'évolution de la situation pendant des jours sans quitter le studio. Je retrouve là Marcus, dans cette scène. Sa femme, à l'abri quelque part, il revient au boulot. Un professionnel jusqu'au bout des ongles. En partant il m'a donné un petit appareil de radio pour ma mère. Cela l'a si touchée qu'il se soit rappelé d'elle qu'elle en a parlé toute la soirée. Elle voulait savoir pourquoi on ne le voyait plus. C'est le mouvement de la vie.

La notion d'utilité

On ne sait plus, depuis le 12 janvier (on dit le 12 janvier ici comme ailleurs on dit le 11 septembre), où se situent les frontières d'Haïti. Haïti est là où on se sent haïtien. Il ne suffit plus d'être en Haïti pour lui être utile. C'est ce qu'on a constaté avec cet élan de générosité mondiale que le sort d'Haïti a suscité. Les choses ne se déterminent plus uniquement par le lieu. D'ailleurs, on peut se trouver en Haïti et se révéler être un frein à son épanouissement. François Duvalier n'a presque jamais quitté le pays et a pourtant été un des responsables de son malheur. Les kidnappeurs non plus. Ni aucun de ceux que, dernièrement encore, on appelait les « gros mangeurs », c'est-à-dire ceux qui vident les caisses de l'Etat ou qui cumulent outrageusement les fonctions publiques. Le nationalisme nouveau, né du 12 janvier, ne peut pas effacer toutes ces corruptions faites par ceux qui n'ont jamais quitté Haïti. Pour ceux qui vivent hors d'Haïti, je comprends qu'on veuille le voir de ses yeux et toucher son grand corps de ses mains, mais à trop l'entourer on risque d'étouffer le malade. Sauf bien sûr si votre profession vous permet d'être utile sur place. Par ailleurs, on connaît cette comédie où il y en a un qui travaille pendant que les autres s'agitent autour de lui. D'autant qu'on n'est jamais loin d'une caméra depuis que Port-au-Prince est devenu un immense plateau de télé. On peut penser que dans toute cette invasion d'Haïti (tout le monde veut être au chevet du célèbre blessé), beaucoup d'organismes et de gens ne pensent qu'à leur publicité personnelle. Il se peut également qu'un aussi bon nombre d'organismes et d'individus soient totalement sincères. Faut-il séparer le bon grain de l'ivraie ? Pas besoin de perdre son temps à cela. Dès que les caméras se retireront, le tri se fera instantanément. Ne nous bousculons pas, si on veut aider on trouvera toujours moyen de le faire. Je connais quelqu'un qui a quitté Montréal pour rentrer à Port-au-Prince tout de suite après le séisme. Guidé uniquement par l'émotion.

Aujourd'hui, il grossit les rangs de ceux qui dépendent de l'aide internationale. Ce pays a besoin d'énergie et non de larmes.

Le petit marché

Je m'étonne que ma sœur rapporte des légumes glacés achetés au supermarché alors qu'on trouve de si beaux légumes frais, et à bien meilleur coût, au petit marché de notre quartier. Le problème c'est que ma sœur est obsédée par les microbes qu'on imagine se baladant au petit marché, alors que les légumes du supermarché restent loin des mouches et de la poussière. De plus, ils sont bien enveloppés dans du papier cellophane. Mais depuis le séisme, et la chute du Caribbean Market, on sait qu'il y a un danger à fréquenter ces supermarchés qui ne sont pas construits selon des normes sismiques, alors qu'on ne risque rien dans un marché en plein air. Après la première semaine passée à éviter soigneusement tout endroit couvert, tout le monde, enfin tous ceux qui ont un certain pouvoir d'achat car les prix ont augmenté au lieu de baisser, s'est retrouvé au supermarché du coin. Chaque quartier est défini par son supermarché. Et si vous n'en voyez pas un près de chez vous, c'est que vous n'êtes pas dans un bon quartier. Pour nous c'est l'Eagle Market. Depuis que le Caribbean Market est tombé, les boutiques de quartier ont retrouvé leur clientèle. Même le petit marché en plein air, où les légumes sont déposés sur un sac de jute par terre, a vu arriver de nouveaux clients. On y va le soir, juste avant que les marchandes ne se mettent à ranger leurs produits, pour avoir de meilleurs prix. On marchande rudement au petit marché, quand on se contente, au supermarché, de payer le prix indiqué, sans discussion. Le client obéit au plus fort mais écrase le plus faible. C'est ainsi qu'il cherche à équilibrer son budget. Il est tout aussi important de ne pas se faire remarquer par un camarade de bureau quand on va au petit marché en plein air où les mouches se posent allègrement sur la viande (ne pas oublier de la faire bouillir longtemps). La technique est simple : on ne bouge pas de la voiture avant d'avoir repéré le produit qu'on désire. Quand il n'y a plus grand monde aux alentours, généralement à la tombée du jour, juste au moment où les marchandes commencent à ramasser leurs légumes, on sort de la voiture pour fondre comme un aigle sur ce sac d'ignames qu'on n'a pas quitté de vue depuis une bonne heure. Ce n'est pas dit qu'on soit seul à avoir repéré cette bonne affaire. Il arrive qu'on se retrouve face à l'unique personne qu'on espérait ne pas rencontrer ici. Il suffit alors de partager le sac d'ignames. C'est ma sœur qui me raconte cette histoire, et depuis, cette femme et elle font leur marché ensemble.

Le débat

On ne devrait pas laisser les choses (je parle de ce décor apocalyptique) trop longtemps dans l'état où elles sont aujourd'hui. Les gens risquent de les intégrer si bien que cela ne les frappe plus. Certains voudront habiter dans la partie saine des maisons dévastées dès qu'ils seront sûrs qu'il n'y aura plus de secousses. On verra des plantes apparaître çà et là, et la vie reprendre là où elle s'était arrêtée. La force qui a aidé cette population à surmonter les plus grands malheurs la poussera à tout accepter aussi. On a remarqué que ceux qui se révèlent exceptionnels dans les moments difficiles sont souvent gauches dans la vie quotidienne. On doit parfois céder la place à ceux qui sont capables de prendre en main l'organisation de cette vie quotidienne si on ne veut pas s'engluer dans le discours idéologique.

J'étais là

Je connais un homme, à New York, qui aurait tant aimé être en Haïti au moment du séisme qu'il a raconté à tout le monde qu'il y était. Pour finalement avouer qu'il se trouvait en Floride. Etrangement, il a eu honte de ne pas être sur place au moment où la mort planait sur son pays. Jusqu'à s'imaginer sous les décombres. Doit-on lui dire que ceux qui sont morts ne désiraient que vivre ? Ils ne veulent pas de sa présence parmi eux. Ils préfèrent le savoir dans le monde des vivants. Ce n'est pas en mourant qu'on devient haïtien. Un autre, rencontré à Tallahassee, aurait espéré être à Port-au-Prince pour des raisons disons historiques. Pour lui, il s'est passé quelque chose à cet instant-là. Le souffle de l'histoire. Et il n'était pas présent. Un moment aussi fort, dans sa mythologie personnelle, que le 1er janvier 1804. Un moment fondateur qui devrait produire un nouveau discours haïtien. De cela, on va parler sous toutes les coutures pendant les décennies à venir. Et les politiciens, les intellectuels, les démagogues ne rateront aucune occasion pour glisser un « j'étais là ». Alors qu'être là ne fait de personne un meilleur citoyen. Un type qui a toujours vécu à l'étranger et qui se trouvait à Port-au-Prince par hasard ne sera plus affublé de l'horrible qualificatif de « diaspora », il est à l'instant anobli. Il devient un « j'étais là ». Tandis que quelqu'un qui a toujours vécu en Haïti et qui était absent du pays ce jour-là perd un peu de son lustre national. Et pourrait même se faire distancer par un étranger de passage qui aurait échappé à la mort de justesse. Plus que la naissance c'est la mort qui définit, de nos jours, notre appartenance.

Le pneu

Le « petit mécanicien » (petit parce que pauvre) est venu réparer la voiture de mon beau-frère, vers 6 h 30. Il en a l'habitude car mon beau-frère, comme beaucoup de Port-au-Princiens, entretient un rapport passionnel avec son mécanicien. Ils se voient au moins une fois par semaine et, dans les moments critiques, deux ou trois fois par jour. J'ai un ami qui laisse sa voiture à son mécanicien pour ne la prendre que s'il en a grand besoin – sa façon de le payer. Mon beau-frère ne va pas jusque-là. Et leur lien c'est le pneu. Un bon pneu (oubliez vos critères) peut faire plus d'une semaine. Un mauvais, pas plus d'une journée. Avant le séisme le « petit mécanicien » (en fait il est grand et maigre) passait chaque matin inspecter le pneu. Ma sœur qui est pratique a proposé plus d'une fois d'acheter un pneu neuf de sa poche (c'est souvent la roue avant-droite) pour ne pas devoir croiser le « petit mécanicien » chaque matin, mais mon beau-frère qui tient autant à ce rituel qu'à son *Nouvelliste* du soir ou son café du matin, a toujours refusé la proposition de ma sœur. Assis sur la galerie, j'assiste donc chaque matin à la même scène. On frappe à la barrière. Mon beau-frère va ouvrir. Le « petit mécanicien » entre. Ils font quelques commentaires sur le niveau d'intensité des choses dans la vie publique, en d'autres termes mon beau-frère veut savoir s'il y a eu des coups de feu hier soir dans les quartiers populaires. Puis on passe aux choses sérieuses : un contrôle rigoureux du niveau d'air dans les quatre pneus. Le « petit mécanicien » examine alors chaque pneu attentivement pour s'arrêter au pneu avant-droit. On évalue la situation. Tiendra-t-il la journée ? La réponse est souvent négative, mais l'espoir fait vivre. Mon beau-frère lui demande alors de procéder au remplacement du pneu avant de retourner à la salle à manger pour son second café. Ce matin ce fut plus long que d'habitude. Le « petit mécanicien » est tout heureux de retrouver les gens sains et saufs, et la maison encore habitable. Le mur est tombé mais le « petit mécanicien » croit que son frère pourrait le réparer aujourd'hui même. Mon beau-frère trouve que c'est une bonne affaire mais juste au moment de conclure le marché, on entend un long hurlement venant du fond de la maison. Ce cri de protestation c'est ma sœur qui refuse de devoir croiser chaque matin dans sa cour, pour le reste de ses jours, un mécanicien et un maçon de la même famille. Le « petit mécanicien » éclate de rire. Même mon beau-frère a souri. L'affaire est donc reportée. Pour le « petit mécanicien », le 12 janvier ne fut pas trop catastrophique. Si sa famille est sortie indemne du séisme, sa maison est en miettes. Personne n'est mort. Ce n'est pas important les pertes matérielles, ajoute-t-il avec un demi-sourire. L'important c'est qu'on soit vivant, n'est-ce pas madame, fait-il en regardant ma mère. Alléluia ! crie joyeusement celle-ci. Si la tasse de café du « petit mécanicien » est assurée ici, c'est parce qu'il est d'abord un bon chrétien aux yeux de ma mère. Les classes sociales n'existent pas pour elle, elle ne juge les gens que par la qualité de leur foi. La voilà qui le conjure (les mains jointes et le visage tourné vers le ciel) de garder cette foi intacte, car Jésus, le grand architecte, ne laissera jamais une famille chrétienne dans l'adversité sans lui apporter son aide. Sans cesser de bavarder le « petit mécanicien » vient d'accélérer le rythme car mon beau-frère doit se rendre à son école, et cela même si elle est par terre comme la plupart des maisons du quartier de Pacot. Le pneu est démonté et un nouveau le remplace. Ma sœur, en passant près de moi, m'effleure le bras, pour me signaler que le nouveau pneu est un « client ». C'est notre code pour dire que c'est un pneu plusieurs fois utilisé sur une même voiture – et à la veille de rendre l'âme. Elle l'a tout de suite reconnu.

Une certaine panique

Ma mère se remet lentement de son inflammation de la jambe. Le cœur bat moins vite. Et son appétit revient. Elle n'a plus cette humeur morose qui me faisait peur. La dernière fois qu'on s'était retrouvés dans sa chambre, elle a évoqué sa mort. Pas directement, ce n'est pas son genre. Elle a murmuré qu'elle ne pourra pas m'attendre trop longtemps encore. C'est qu'elle a passé sa vie à attendre mon retour. Elle garde la tête baissée en me parlant, me jetant de temps en temps ce sourire si discret qu'il faut être attentif pour le capter. Mais là elle projette de retourner à l'église dimanche prochain. Elle a hâte de revoir ce handicapé qui, m'a dit ma sœur, est la seule personne qui dépende vraiment d'elle. Malgré le fait qu'elle soit frêle et malade, elle se sait en meilleure situation que cet homme. Toujours assoupi devant l'église, il lève à peine les yeux quand les gens lui font l'aumône. Mais dès qu'il voit ma mère, il bondit vers elle, tentant même de quitter son fauteuil. Cette danse frénétique (avec bave et gestes désaccordés) effraie quelques fidèles, mais la joie qui illumine son visage rend ma mère heureuse. On sent qu'elle a besoin de ce lien, d'autant qu'elle commence elle-même à dépendre des autres. Même si elle fait face vaillamment à cette situation inédite, il reste que je capte une certaine panique au fond de ses yeux.

La folie

Les problèmes de santé mentale sont en bas de la liste des maladies courantes – de toute façon la folie n'est pas considérée comme une maladie, mais comme un mauvais coup du destin. C'est consolant de savoir que dans les pays pauvres, on n'exclut pas les fous. Ils occupent leur fonction de fou avec le droit de faire le fou. Par contre, dans les pays plus fortunés où ils reçoivent des soins particuliers, le fou est mis à part. Il n'a aucune fonction sociale. Il fait honte. On le cache. Il disparaît de la circulation, souvent du jour au lendemain. Pour ne réapparaître que si on le juge apte à singer les autres. En Haïti, on se moque brutalement de vos angoisses. Il arrive toutefois que ce traitement de choc soit bénéfique pour certains d'entre eux. Ceux qui ne tiennent pas la route sont tassés sur le bord du chemin. Et la foule continue d'avancer. Le mot « traumatisme » revient ces jours-ci dans la bouche des spécialistes internationaux en pensant à ceux qui ont vécu le tremblement de terre. Bien sûr qu'une pareille situation nécessiterait des soins attentifs, mais les gens accepteront-ils de recevoir ces soins ? Il est difficile d'envisager le traitement d'une maladie qui est niée par la population comme par la personne concernée. La seule chose reconnue ici comme étant un inconfort c'est une douleur aiguë et dont l'intensité ne baisse pas depuis trois jours.

Le rire et la mort

Il faut donc en parler sur un ton très grossier, en employant des mots vulgaires. Comme on fait encore dans les veillées à la campagne. La danse exagérément sexuelle d'un Baron Samedi ouvre le bal de la fête des morts. Les scènes hautement carnavalesques des *guédés* (esprits du vaudou) qui boivent de l'alcool et du vinaigre à tire-larigot tout en mangeant des tessons de bouteille, ajoutent à l'ambiance. Le sexe est l'énergie qui se rapproche le plus de la mort. Au Moyen Âge, on appelait l'orgasme « la petite mort ». Ce n'est pas une affaire de salon ni de gens poudrés. Les poètes n'en parlent pas bien, sauf Villon qui demande pitié pour ces pendus qui se tordent de douleur et qu'on laisse le long des routes à la merci du vent et de la pluie. Les hommes ne sont pas arrivés à domestiquer la mort. Elle reste tribale, triviale et tripale. C'est la mort qui est à l'origine de la vie, et non le contraire.

Une nouvelle ville

Chacun a le droit de savoir dans quel genre de ville il aimerait vivre. Et mieux, il devrait pouvoir intervenir dans l'élaboration du plan de la nouvelle ville. Cela dit, il peut aussi admettre qu'il n'a pas tous les talents. Et comprendre surtout qu'il ne sera pas seul sur le terrain : huit millions d'individus ont les mêmes droits que lui. C'est un chantier qui risque d'absorber l'énergie de plusieurs générations d'hommes et de femmes de toutes les conditions sociales. On ne doit pas perdre de vue que les vrais habitants de la nouvelle ville ne sont pas encore nés. Je parle de ceux qui ne connaîtront l'ancienne ville que sur des photos d'époque – les choses auront considérablement changé dans trente ou quarante ans. Car construire une ville est une opération beaucoup plus ambitieuse que celle de construire un pont ou un gratte-ciel. Sur le plan simplement technique, cela exige un savoir-faire qui requiert la présence de plusieurs corps de métier. Le matériau le plus important, c'est encore l'esprit. Un esprit qu'on voudrait voir tourné vers le monde, et non replié sur lui-même. Quitter cette mentalité d'insulaire qui nous garde au chaud dans une stérile autosatisfaction. Une nouvelle ville qui nous forcerait à entrer dans une nouvelle vie. C'est cela qui prendra du temps. Ce temps qu'on refuse de s'accorder.

L'ami retrouvé

Je venais d'arriver à Port-au-Prince, pour mes études secondaires, après une enfance, sous le regard de ma grand-mère, dans une petite ville de province. Port-au-Prince est une énorme ville où je ne connaissais que ma mère, ma sœur et mes tantes. Nous vivions tous dans la même maison, sur l'avenue Bouzon, près du cimetière. Nous étions voisins du stade Sylvio-Cator où se déroulait le championnat national de football, et pas loin du marché Salomon, du cinéma Montparnasse et de la place Saint-Alexandre qui deviendra, des années plus tard, place Carl-Brouard du nom d'un célèbre poète anarchiste. C'était un quartier très animé qui m'attirait et m'effrayait à la fois. Mon arrivée allait changer le rythme de la maison. Ma mère et ses sœurs sont des femmes plutôt calmes et réservées (à part tante Raymonde qui avait un certain sens du mélodrame) et ma sœur une adolescente obéissante qui passait le plus clair du temps à la maison à aider sa mère dans les activités domestiques. Ma mère sélectionnait soigneusement les gens que nous pouvions fréquenter. Et parmi les rares familles acceptables il y avait les Preptit. Le père Preptit est un ancien officier que Papa Doc avait assigné à résidence, ce qui l'obligea à rester enfermé dans sa maison durant des années. On ne le croisait dans les rues que très tard le soir. La mère était une femme discrète et raffinée. Souvent triste. On sentait qu'ils formaient, à leurs débuts, un couple brillant et mondain (une peinture du jeune officier et de sa femme au salon laisse entrevoir un bonheur insouciant) qu'on invitait un peu partout. Et soudain c'est le vide autour d'eux. Pour moi tout ça était mystérieux. J'ai mis longtemps avant de comprendre que c'était une disgrâce politique. L'énergie des cinq enfants Preptit empêchait la maison de sombrer dans la morosité. Mon ami Claude (le fils aîné) était un garçon si sérieux qu'il l'était même en jouant. Mais quand parfois il riait on percevait alors l'enfant heureux qu'un sens de la responsabilité trop précoce a dû rendre grave.

J'étais plutôt rêveur. On jouait au ping-pong le samedi matin. Son père nous avait fabriqué une rudimentaire table de ping-pong. L'été, on organisait un petit championnat de badminton dans la grande cour voisine. Ce goût de jeux aussi rares en Haïti venait du fait que son père avait pratiqué ces sports à l'académie militaire. On a continué à se fréquenter jusqu'à ce que j'aie quitté le quartier. On s'est perdus de vue quand j'ai changé d'école. Quelques années plus tard, j'ai quitté Haïti ; Claude, lui, est resté. J'ai su à Montréal que Claude était devenu un ingénieur compétent – ce métier lui va comme un gant. Et puis dernièrement, j'étais à un festival littéraire (Livres en folie) à Port-au-Prince quand Claude est arrivé à ma table. J'avais beaucoup entendu parler de lui ces derniers mois pour la simple raison qu'il était cet ingénieur qui, depuis des années, annonçait un tremblement de terre de force majeure en Haïti. Preptit précisait que Port-au-Prince serait le plus touché. Son air appliqué et son ton sérieux forçaient l'écoute. Ses propos faisaient peur dans un pays où on n'est jamais à court de malheurs : inondations, cyclones, dictatures. Mais si en Haïti on a peur une minute, il arrive qu'on danse la minute d'après. Cette technique éprouvée empêche de sombrer dans une névrose collective. C'est une société où c'est mieux d'être divers et ondoyant. Ne pas s'enfoncer seul dans un tunnel. Preptit s'obstinait ; on trouvait qu'il exagérait. On commençait à chuchoter à propos de sa santé mentale. Souvent invité dans les médias, ses réponses ne variaient jamais.

Bref dialogue entre lui et un journaliste (c'est un dialogue imaginé mais fait d'informations recueillies de sources diverses).

Q : Quand ?

R : Le tremblement de terre peut arriver n'importe quand.

Q : Pouvez-vous préciser ?

R : Maintenant ou dans dix ans.

Q : Maintenant ?

R : Oui, au moment où on se parle.

Q : Quels sont les risques encourus ?

R : Difficile à évaluer, mais tout indique que ce sera énorme.

Q : Des milliers de morts ?

R : Possible, peut-être plus.

Son ton pondéré ne rassurait pas. Les gens semblaient fascinés par cet homme qui leur annonçait calmement l'apocalypse. On le pressait de questions dans la rue. Pourquoi ne partait-il pas s'il était si sûr de ce qui pouvait arriver ? Ce n'est pas le genre d'homme à quitter sa ville. Je reconnais là mon ami de l'avenue Bouzon. Fils de militaire. On ne quitte pas le bateau. Je relève la tête pour l'accueillir. On se sourit. Il tenait à me revoir. Silence. Comment ça s'est passé ? Il me raconte qu'il était dans la cour de chez lui quand c'est arrivé. Il a tout de suite pensé que c'était un 7 au moins. C'était donc la chose qu'il annonçait depuis dix ans. Et quel a été ton sentiment à ce moment-là ? Pour te dire honnêtement, un grand sentiment de soulagement. C'était la preuve que je n'étais pas fou. J'ai vu passer dans ses yeux un éclair d'égarement. Il avait tout fait pour prévenir la population, mais on ne l'avait pas écouté. Au lieu de ça on se moquait de lui. On le consulte sans cesse maintenant qu'il est trop tard. Des gens dans la file commencent à manifester leur impatience. Il me serre la main, et me jette un sourire triste qui me rappelle celui de ma mère, avant de disparaître dans la foule.

Cérémonie secrète

Maintenant que les étrangers ont repris le chemin d'Haïti, ils vont sûrement tomber à nouveau sous la fascination du vaudou. Volontaires (tous ces ex-religieux recyclés dans l'humanitaire) et intellectuels vont cuire à feu doux dans la vieille marmite coloniale. Au lieu de perdre ce temps précieux à courir les cérémonies bidon, ce serait mieux d'essayer de comprendre ce peuple en étudiant sérieusement sa vision du monde. Le premier qui dit « j'ai assisté à une cérémonie secrète » est un homme mort de ridicule. Si c'était vraiment une cérémonie secrète, on ne vous accepterait pas. Pourquoi pensez-vous qu'on tolérerait votre présence à une cérémonie secrète ? Pour l'argent ? A cette question, vous répondez vous-même : « Mais non, je n'ai pas payé. » Ce qui vous fait conclure que c'était une vraie cérémonie. De toute façon, soit vous avez déjà payé sans même le savoir (la cérémonie organisée en votre honneur était une récompense pour vos bienfaits passés), soit vous paierez plus tard. D'une manière ou d'une autre. Il y a tant de règles qu'on ignore dans cet univers si chargé de faux mystères. Si on est présent, c'est que cette cérémonie n'est plus secrète. Comme on dit : si quelqu'un d'autre le sait, ce n'est plus un secret.

Un savoir ancien

Ces gens qui portent leur douleur avec une telle grâce possèdent un sens de la vie qu'il serait dommage d'ignorer. A les voir si sereins, on se doute bien qu'ils savent des choses à propos de la douleur, de la faim ou de la mort. Et qu'une joie violente les habite. Joie et peine qu'ils transforment en chant et en danse. Que fait-on d'un pareil savoir ? C'est ce savoir qu'on voit poindre parfois dans les tableaux colorés des peintres primitifs ou dans cette musique entraînante qui s'étourdit elle-même tellement la joie déborde. On est tout étonné d'apprendre, en écoutant plus attentivement, que les paroles de cette chanson qui nous a mis des fourmis dans les jambes sont d'une tristesse à mourir. Tout le secret de ce pays est là. Et non dans le vaudou bon marché qu'on sert aux touristes et aux Haïtiens qui ont quitté le pays depuis trop longtemps.

L'énergie de l'argent

On connaît l'énergie qu'apporte l'argent. C'est une force agressive qui n'hésite pas à balayer tout sur son passage. Celui qui vous aide s'accorde parfois le pouvoir de vous juger. C'est la moindre des choses que de l'écouter. L'argument est simple : votre savoir-faire a échoué. Et ne vous avisez pas de protester car c'est vrai. C'est lui qui aide et non le contraire. Et il vous met sa culture sous le nez. Tout cela dit sur un petit ton de fausse humilité, ce qui est la pire des vanités. Et l'orgueil de croire que l'autre n'a pas compris la situation. Et qu'il a validé votre jeu. On devrait donner un petit cours de culture populaire à ceux qui viennent aider : si on vous écoute sans vous interrompre, ce n'est pas parce que vous êtes intéressant, mais parce qu'on attend que vous terminiez depuis un moment pour passer aux choses sérieuses, c'est-à-dire à l'argent. En avez-vous ? Combien ? En petites coupures si possible. J'entends des chefs d'entreprise ou des dirigeants d'organisme communautaire lancer crûment devant les caméras que si on aide ces gens c'est pour leur bien et qu'il n'y a pas d'autres calculs. C'est possible. Alors pourquoi se fâche-t-on quand l'autre oublie de s'agenouiller pour remercier ? Le problème c'est que ces populations du tiers-monde ont développé, avec le temps, une vraie mentalité d'assistés. On sent bien qu'ils connaissent tous les rouages du système d'aide internationale. Ils l'ont étudié attentivement. Certains n'ont que ça à faire. Ils savent que les sommes distribuées par des particuliers sont remboursées par le ministère du Revenu et des Taxes de leur pays respectif. Les malins du tiers-monde ont vite compris que la reconnaissance est une monnaie d'échange qu'on ne doit pas jeter par la fenêtre. A la bourse des valeurs judéo-chrétiennes, la charité est encore au top 10. C'est un jeu de durs où les néophytes se font dévorer crus. On devrait prendre exemple sur ces religieuses, toujours souriantes, qui travaillent dans la campagne haïtienne depuis des décennies. Elles rouleraient facilement dans la farine un marxiste blanchi sous le harnais, ou même un vieux mafioso à la retraite. Ces religieuses, qui sont des pros, ont accumulé un savoir-faire qu'on devrait mettre à profit si on espère faire déboucher la charité sur une action efficace.

L'obole du pauvre

Rue Sainte-Catherine, à Montréal. Cette dame m'a pris le bras, en souriant.

— Dès que j'ai vu ces images à la télé, j'ai immédiatement pensé à vous…

Elle me regarde droit dans les yeux. Petite, maigre, dans la soixantaine.

— Puis-je vous embrasser ?

Elle me prend dans ses bras.

— J'ai beaucoup prié pour Haïti. Je prie encore. Quel désastre ! S'il y a un pays qui n'avait pas besoin d'un tel malheur, c'est bien celui-là.

Elle me garde la main tout en me regardant dans les yeux. Une sensation de douceur.

— Je ne vais pas dire que j'ai envoyé de l'argent en Haïti, je n'en ai pas. Mais j'ai beaucoup prié pour le peuple haïtien. Des gens fiers et propres qui ne méritent pas un pareil sort… Je me demande comment ils font.

— Ils font tout pour vivre le plus longtemps possible.

— Je comprends… Je n'ai rien à donner, comme je t'ai dit… Sauf mon cœur.

— Vous savez, madame, c'est beaucoup. Et ce cadeau se rendra. Je m'en charge.

Elle me reprend dans ses bras.

Le morne Calvaire

Notre cuisinière habite au morne Calvaire. Pour se rendre chez elle, après le travail, elle doit marcher une bonne vingtaine de minutes pour sortir du Delmas 31 où nous sommes, puis prendre un *tap-tap* sur l'autoroute qui la mènera à Pétion-ville, devant la place Saint-Pierre, et de là, elle fait le reste du chemin à pied. Quand il pleut, comme aujourd'hui, ma sœur la dépose à sa porte. Pour ne pas regarder la pluie tomber, comme un idiot, je les accompagne. La ville est sous les eaux. Un vent violent. Les marchandes croisées en chemin sont trempées. Elles grimpent la pente, les yeux presque fermés, à cause de la mitraille d'eau qu'elles reçoivent au visage. On arrive au morne Calvaire. C'est la première fois que je monte ici. Un fort malaise m'envahit à chaque fois que je frôle le vide. J'ai toujours associé cette région aux marchandes de légumes qui nous vendent de ces gros oignons et des carottes juteuses qui sentent bon la terre. En fait il s'agit du plus riche périmètre d'Haïti – peut-être même que je me trompe et qu'il y a encore plus riche. Je n'ai jamais vu autant de magnifiques villas. Des pins géants les entourent ou se tiennent de chaque côté de l'entrée comme de fidèles gardiens. Il règne ici une paix qui donne envie de mourir. On doit se pincer pour ne pas se croire sur les bords du lac Léman. Je ne suis pas du tout envieux, d'ailleurs je me fous de la richesse des autres, et je n'assimile pas tout à la lutte des classes, mais là, je suis scié. Et dire que ma cuisinière n'habite pas loin d'une telle abondance. Elle traverse chaque jour ce quartier pour descendre travailler au cœur de Delmas. Et jamais un soupir. Elle trouve ça aussi normal que cette pluie qui mitraille la toiture de la voiture. Dire que la plupart de ces maisons sont vides. Leurs propriétaires passent une partie de l'année en Italie, une autre partie en Angleterre ou ailleurs. Je ne leur reproche pas leur style de vie (je voyage assez moi-même) mais plutôt tous ces fruits qui pourrissent sous les arbres et ces chambres inoccupées dans une ville où une bonne partie de la population vit dans des conditions précaires. En redescendant, je suis passé devant le camp de la place Saint-Pierre. Quand on pense que ceux qui y vivent reçoivent une pareille averse presque chaque soir sous une tente que le vent emporte parfois. Et que les voitures luxueuses du morne

Calvaire (un calvaire pour qui ?) passent devant chaque matin pour conduire les enfants à l'école. Je me demande si ces enfants questionnent parfois leurs parents pour savoir comment vivent ces autres enfants (c'est le même mot pour les deux groupes) qu'ils voient sortir tout habillés de cette fourmilière. Ou si personne ne voit ce qui saute pourtant aux yeux. Je suis sûr que les enfants captent tout de suite la situation. Ce n'est pas étonnant que certains quittent la maison dès qu'ils le peuvent. Toutefois la drogue ne peut pas apaiser toutes les douleurs.

La vie collective

Je me demande ce qui se passe sous ces tentes que l'on voit un peu partout. Comment parvient-on à y préserver son intimité ? Ceux qui ronflent trop fort dorment-ils le jour pour ne pas réveiller tout le monde la nuit ? On vit un double malheur : un malheur individuel (on a perdu des amis ou des parents) et un malheur collectif (on a perdu une ville). Comment arrive-t-on à pleurer ses morts quand il devient si difficile de se trouver un moment de solitude ? On imagine aisément que ces nuits étoilées doivent bien permettre des idylles. Où fait-on l'amour ? Dans les fourrés en criant son plaisir sans peur d'être entendu. On nous signale que dans certains camps il y a une tente parfois vide où c'est écrit : « Le petit moment ». Ce qui permet justement de passer un bon moment en toute discrétion. Car nous savons que ni la peur, ni la peine, ni l'indigence n'empêchera le désir de fleurir. Il suffit d'un rien : une nuque, un regard appuyé et le décor change. C'est la seule chose capable de nous distraire d'une situation inconfortable. La nourriture, comment la partage-t-on avec les nouveaux voisins ? La hiérarchie dans les familles continue-t-elle sous les tentes ? Vivre en groupe exige un tact constant si on ne veut pas bousculer les autres. Les plus pauvres ont une longueur d'avance, ils sont habitués à se frôler constamment et n'ont pas peur de se toucher. Tandis que d'autres éprouvent une réelle répulsion à se frotter à des individus qu'ils jugent d'une classe inférieure. Il arrive qu'une situation inédite, si elle dure un certain temps, provoque d'importants changements dans la vie des gens.

La lecture sous la tente

Pour les adultes, c'est le désir. Pour les enfants, c'est la lecture. Un enfant plongé dans *Les Trois*

Mousquetaires n'est plus sous une tente. Il vit dans le roman de Dumas. Une vie mouvementée. On y va au grand galop. Quand on est fatigué, on s'arrête devant une auberge et on fait descendre l'hôtelier qui dormait à côté de sa bourgeoise en bonnet de nuit. On s'installe pour manger copieusement tout en exigeant une botte de foin pour le cheval qui ira à l'écurie. Ce n'est jamais de tout repos, car les routes sont peu sûres. Soudain, les voilà entourés par un groupe de cavaliers masqués. Et au moment où D'Artagnan va sortir son épée, on entend une voix trop aiguë, trop connue, pour être celle de Milady. C'est la mère du petit lecteur qui l'appelle pour souper. Elle sourit en voyant arriver son fils avec un livre sous le bras.

L'enfant prodigue

J'arrive à l'hôtel Karibe où tout s'est passé. Un sentiment de revoir ces lieux. L'impression d'avoir un pied dans le passé (une certaine vibration) et l'autre dans le présent. Ce qui fait que je tangue légèrement. Je ne passe pas par l'entrée principale par crainte d'un choc trop brutal. Plutôt par la porte latérale, exactement à l'endroit où j'ai rencontré Saint-Eloi qui venait tout juste d'arriver ce 12 janvier vers 15 h 30. La salle de réception où l'on organise des congrès n'a pas été trop endommagée. Je traverse la cour. On a retapé la façade arrière de l'hôtel. Je descends sur le terrain de tennis où je revois les ombres. La piscine, imperturbable. Et le jardin avec ces petites fleurs qui ont résisté au séisme. Au restaurant je croise le propriétaire qui m'est tombé dans les bras. Comme je le félicite de n'avoir pas perdu son sang-froid durant ces jours difficiles et surtout d'être resté avec ses clients alors qu'il pouvait rentrer se coucher chez lui, il m'a chuchoté à l'oreille que « cette tragédie au lieu de l'abattre lui a donné l'énergie nécessaire pour faire mieux ». C'est à ce moment que le serveur, qui s'occupait de moi juste avant le séisme, est apparu. Cet homme assez rond épinglait encore ce sourire chaleureux qui ne l'a pas quitté même au plus fort de la crise. Je lui rappelle que j'attendais un homard, et qu'il était parti le chercher, quand le tremblement de terre est arrivé. Il m'a fait un sourire complice avant de filer vers les cuisines. Je causais avec une femme de chambre quand il est revenu avec le homard. Si vite ? Voulant me faire une surprise, il avait placé la commande dès qu'il m'avait vu franchir la barrière. On a ri. J'étais ému. Assis à la place où j'étais le 12 janvier au moment du séisme, j'ai pu déguster, calmement cette fois, mon homard.

La tendresse du monde

Partout où je vais, les gens m'adressent la parole en baissant la voix. Conversation entrecoupée de silences. Les yeux baissés, on m'effleure la main. Bien sûr qu'à travers moi, on s'adresse à cette île blessée, mais de moins en moins isolée. On me demande de ses nouvelles. Ils comprennent vite qu'ils sont plus au courant de ce qui se passe que moi. Je me suis éloigné de cette rumeur intoxicante afin de préserver ces images qui brûlent encore en moi. Cette petite fille qui, la nuit du séisme, s'inquiétait à savoir s'il y avait classe demain. Ou cette marchande de mangues que j'ai vue, le 13 janvier au matin, assise par terre, le dos contre un mur, avec un lot de mangues à vendre. Quand les gens me parlent, je vois dans leurs yeux qu'ils s'adressent aux morts, alors que je m'accroche à la moindre mouche vivante. Mais ce qui me touche vraiment, c'est qu'ils semblent émus par leur propre émotion, et qu'ils espèrent la garder le plus longtemps en eux. On dit qu'un malheur chasse l'autre. Et les journalistes ont beau se précipiter ailleurs, Haïti continuera d'occuper longtemps encore le cœur du monde.

Table

Du même auteur :

COMMENT FAIRE L'AMOUR AVEC UN NÈGRE SANS SE FATIGUER, Montréal, VLB éditeur, 1985 ; Paris, Belfond, 1989 ; Paris, J'ai lu, 1990 ; Paris, Le Serpent à Plumes, 1999 ; Montréal, Typo, 2002.

EROSHIMA, Montréal, VLB éditeur, 1991 ; Montréal, Typo, 1998.

L'ODEUR DU CAFÉ, Montréal, VLB éditeur, 1991 ; Montréal, Typo, 1999 ; Paris, Le Serpent à Plumes, 2001.

LE GOÛT DES JEUNES FILLES, Montréal, VLB éditeur, 1992 ; Paris, Grasset, 2005 ; Paris, Folio, 2007.

CETTE GRENADE DANS LA MAIN DU JEUNE NÈGRE EST-ELLE UNE ARME OU UN FRUIT ?, Montréal, VLB éditeur, 1993 (épuisé) ; Montréal, Typo, 2000 (épuisé) ; nouvelle édition revue par l'auteur, Montréal, VLB éditeur, 2002 ; Paris, Le Serpent à Plumes, 2002.

CHRONIQUE DE LA DÉRIVE DOUCE, Montréal, VLB éditeur, 1994.

PAYS SANS CHAPEAU, Montréal, Lanctôt éditeur, 1996 ; Montréal, Québec Loisirs, 1997 ; Paris, Le Serpent à Plumes, 1999 ; Montréal, Lanctôt éditeur, 1999 ; Montréal, Boréal, 2006.

LA CHAIR DU MAÎTRE, Montréal, Lanctôt éditeur, 1997 ; Paris, Le Serpent à Plumes, 2000.

LE CHARME DES APRÈS-MIDI SANS FIN, Montréal, Lanctôt éditeur, 1997 ; Paris, Le Serpent à Plumes, 1998.

J'ÉCRIS COMME JE VIS. *Entretiens avec Bernard Magnier*, Montréal, Lanctôt éditeur, 2000 ; Paris, Editions La passe du vent, 2000.

LE CRI DES OISEAUX FOUS, Montréal, Lanctôt éditeur, 2000 ; Paris, Le Serpent à Plumes, 2000.

JE SUIS FATIGUÉ, Montréal, Lanctôt éditeur, 2001 ; Paris, Initiales, 2001 ; Port-au-Prince, Mémoire d'encrier, 2001.

COMMENT CONQUÉRIR L'AMÉRIQUE EN UNE NUIT, *scénario*, Montréal, Lanctôt éditeur, 2004.

LES ANNÉES 80 DANS MA VIEILLE FORD, Montréal, Mémoire d'encrier, 2004.

JE SUIS FOU DE VAVA, *collection Jeunesse*, Montréal, Editions de la Bagnole, 2006.

VERS LE SUD, Paris, Grasset, 2006 ; Montréal, Boréal, 2007.

JE SUIS UN ÉCRIVAIN JAPONAIS, Paris, Grasset, 2008 ; Montréal, Boréal, 2008.

LA FÊTE DES MORTS, *collection Jeunesse*, Montréal, Editions de la Bagnole, 2009.

L'ÉNIGME DU RETOUR, Paris, Grasset, 2009 (prix Médicis 2009).

CHRONIQUE DE LA DÉRIVE DOUCE, Paris, Grasset, 2012.

JOURNAL D'UN ÉCRIVAIN EN PYJAMA, Paris, Grasset, 2013.

LE BAISER MAUVE DE VAVA, *collection Jeunesse*, Montréal, Editions de la Bagnole, 2014.

L'ART PRESQUE PERDU DE NE RIEN FAIRE, Paris, Grasset, 2014.

Le Livre de Poche s'engage pour l'environnement en réduisant l'empreinte carbone de ses livres. Celle de cet exemplaire est de :
350 g éq. CO_2
Rendez-vous sur
www.livredepoche-durable.fr

Composition réalisée par PCA

Imprimé en France par CPI
en octobre 2017
N° d'impression : 2032052
Dépôt légal 1re publication : août 2012
Édition 06 - octobre 2017
LIBRAIRIE GÉNÉRALE FRANÇAISE
21, rue du Montparnasse - 75298 Paris Cedex 06

31/6203/9

31/6203/9